ク ス Mana

1 冊 で す べ て 身 に つ く

JavaScript

入 門 講 座

= SB Creative

本書に関するお問い合わせ

この度は小社書籍をご購入いただき誠にありがとうございます。小社では本書の内容に関するご質問を受け付けております。本書を読み進めていただきます中でご不明な箇所がございましたらお問い合わせください。なお、お問い合わせに関しましては下記のガイドラインを設けております。恐れ入りますが、ご質問の際は最初に下記ガイドラインをご確認ください。

ご質問の前に

小社Webサイトで「正誤表」をご確認ください。最新の正誤情報をサポートページに掲載しております。

▶ **本書サポートページ**

URL https://isbn2.sbcr.jp/15758/

上記ページの「正誤情報」のリンクをクリックしてください。なお、正誤情報がない場合、リンクをクリックすることはできません。

ご質問の際の注意点

・ご質問はメール、または郵便など、必ず文書にてお願いいたします。お電話では承っておりません。

・ご質問は本書の記述に関することのみとさせていただいております。従いまして、○○ページの○○行目というように記述箇所をはっきりお書き添えください。記述箇所が明記されていない場合、ご質問を承れないことがございます。

・小社出版物の著作権は著者に帰属いたします。従いまして、ご質問に関する回答も基本的に著者に確認の上回答いたしております。これに伴い返信は数日ないしそれ以上かかる場合がございます。あらかじめご了承ください。

ご質問送付先

ご質問については下記のいずれかの方法をご利用ください。

▶ **Webページより**

上記のサポートページ内にある［サポート情報］→［お問い合わせ］をクリックすると、フォームが開きます。要綱に従って質問内容を記入の上、送信ボタンをクリックしてください。

▶ **郵送**

郵送の場合は下記までお願いいたします。

〒105-0001
東京都港区虎ノ門2-2-1
SBクリエイティブ　読者サポート係

■本書で紹介する内容は執筆時の最新バージョンであるGoogle Chrome、Microsoft Edge、Visual Studio Code（VSCode）、Mac OS、Windowsの環境下で動作するように作られています。

■本書内に記載されている会社名、商品名、製品名などは一般に各社の登録商標または商標です。本書中では®、™マークは明記しておりません。

■本書の出版にあたっては正確な記述に努めましたが、本書の内容に基づく運用結果について、著者およびSBクリエイティブ株式会社は一切の責任を負いかねますのでご了承ください。

■本書では Apache License 2.0 に基づく著作物を使用しています。

はじめに

　JavaScriptの本を執筆することになったとき、最初に浮かんだのが「Webデザイナーでも楽しく読める内容にしたい」でした。既存のJavaScriptの本は簡易なゲームやツールを作ることが多く、Webデザイナーにとって身近な作例ではないところがあります。「ふんわり動く画像」や「スッと消える文字」など、Webサイトでよく見かけるアニメーションが作れるようになれればWebサイトの表現の幅がグンッと広がります。そこで、本書はJavaScriptのプログラミングを基礎から学ぶことを中心としつつも、プログラミングをあまり知らないWebデザイナーでも楽しめる構成にしています。

　例えばCHAPTER 3ではJavaScriptの基本機能を学べるのですが、文章だけで説明するのではイメージがつきづらいので、「カラーピッカー」を作成します。色を指定する「カラーピッカー」はデザイナーであれば必携ツールですよね。また、ユーザーのアクションに応じて何らかの変化を起こすのが「機能があるWebサイト」です。CHAPTER 4ではクリックして変化を付けたり、入力フォームの文字を数えたりする機能をつけます。

　CHAPTER 5ではフルーツジュースのWebページを想定して、商品名や画像のファイル名、値段などのデータの扱い方を紹介します。Webサイトに限らずですが、「データ」はプログラミングに付き物です。この知識は必須と言えます。CHAPTER 6ではついにJavaScriptを使ったアニメーションの加え方やアレンジの仕方などを紹介します。色々なものを動かして、その楽しさを体感してください！

　そしてここまで学んできたことを踏まえて、CHAPTER 7では1つのWebページの制作に取り組みます。Webページの骨格となるHTMLやCSSのファイルはこちらで用意していますので皆さまの手をわずらわせることはありません。JavaScriptのコードを書き足しながら少しずつWebページに命を吹き込んでいきましょう。最後のCHAPTER 8ではよくあるエラーやその対処法を紹介しています。すべてが順調に進むとは限りません。つまずくときもあります。間違いは成長のチャンスです。安心して失敗しましょう！

　毎日毎日、どうやったら読者に「できた！　楽しい！」と感じてもらえるだろうか、ただひたすら、それだけを考えて書きあげた本です。初めてJavaScriptに触れる方も、以前に学習して挫折してしまった経験がある方も、この本で学び、新たなJavaScriptライフを始められますように願っています。

Webクリエイターボックス Mana

INTRODUCTION

ABOUT THE CONTENTS

本書の内容について

JavaScriptの基本	CHAPTER 1-3ではJavaScriptの基本を学びます。CHAPTER 4-6ではイベントの操作や、複数のデータの扱い方、アニメーションといったJavaScriptでできることを1つひとつ学んでいきます。CHAPTER 7では学びの集大成としてJavaScriptを使って様々な機能を持たせる1つのWebページを作ります。
プログラミングの基礎知識	
Webページへの組み込み方	

本書で制作できるJavaScriptを使ったWebページ（CHAPTER 7）

本書のCHAPTER 7では機能や動きのついていない未完成のサンプルデータを用意しています。解説を読みながらJavaScriptのコードを付け足し、動きのあるWebページを完成させましょう。

ページやコンテンツの読込中に使えるローディング画面の作り方が学べます。JavaScriptのイベントやアニメーションのタイミングの調整を利用して、ユーザーの期待感を高める動きを作ります。

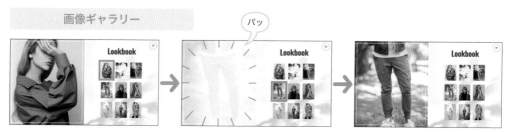

小さなサムネイル画像にカーソルをあわせると、パッと光るアニメーションと共に、左側に大きく画像を表示する仕組みを作ります。複数のHTML要素を取得し、書き換える方法が学べます。

ハンバーガーアイコンをクリックすると右端からメニューパネルが表示して開閉する仕組みを作ります。JavaScriptを使ってスライドを画面外に置いて見えなくしたり、メニューの順番を上から表示したりする仕組みを作ります。

ページをスクロールすると、下からふわっと要素が表示します。スクロールを監視してアニメーションを実行する仕組みです。何度も実行されないようにプログラムを書いて制御します。

CONTENTS

目次

CHAPTER 5

複数のデータを使ってみよう！

CHAPTER 6

アニメーションを加えよう！

CHAPTER 7

Webページを作ってみよう！

CHAPTER 8

エラーと解決方法

SAMPLE DATA & DEMO

サンプルデータとデモの使い方

　本書には学習の手助けをする「サンプルデータ」と「デモ」があります。サンプルデータは本書で学習する上で必須となるデータです。以下のURLの［サポート情報］の項目よりデータをダウンロードしてご活用ください。なお、本書はこのサンプルデータさえあれば下記のデモがない状態でも学習が完結できるように作られております。

> **URL** https://isbn2.sbcr.jp/15758/

※サンプルに収録しているコードは、個人・商用を問わず、自由にご利用いただけます。ただし、テキスト原稿と画像素材については、本書での学習以外の目的で利用しないでください。テキスト原稿と画像素材を差し替えれば、オリジナルサイトとして利用していただいてもかまいません。

　デモはお手持ちのスマートフォンやタブレットでサッと確認できるように用意したオンラインで閲覧できる補助特典です。手軽にコードや表示を確認したいときにご利用いただけます※。

本文内の随所にある左記のようなQRコードをスマートフォンやタブレットのカメラで読み取ると、下記で説明しているようなデモが表示されます。

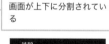

サンプルデータのフォルダーの場所　　　デモに飛ぶQRコード。スマートフォンやタブレットのカメラで読み取る

画面が上下に分割されている

上部にコード、下部にプレビュー画面が表示されている

［HTML］［CSS］［JS］［Result］というタブがある

タップするとそれぞれのコードが表示される

［JS］タブではJavaScriptのコードを確認できる

［Result］タブではブラウザーの表示が確認できる

画面左下の矢印アイコンをタップ

［Console］をタップするとコンソール画面が表示

※本書のデモは「CodePen」という外部サービスを使っております（P.030参照）。本書とは別のサービスであり、今後変更される可能性もあります。また、オンライン上で表示させるため、画像のsrcのパス指定や表示の見え方などが書籍と異なっていることがあります。あくまで学習を補助する特典となりますのでご了承ください。もしデモが使えなくなった場合は、サンプルデータをご活用ください。

CHAPTER 1

最初に知っておこう！
JavaScriptでできること

JavaScriptの世界へようこそ！ 本格的な学習を始める前に、まずはJavaScriptでできることや、どんなところで利用されているのかといった全体像を見ていきましょう。

Introduction | Getting Started | Basic | Event | Data | Animation | Website | Troubleshooting

1-1
CHAPTER

JavaScriptとは

Webサイト制作の勉強を始めたら、必ず耳にするのが「JavaScript（ジャバスクリプト）」です。JavaScriptとは一体なんでしょうか。まずは簡単に把握しておきましょう。

▓ JavaScriptはプログラミング言語の1つ

JavaScriptはWebページに機能を追加できるプログラミング言語です。ブラウザーで動く言語として1995年に誕生しました。今やJavaScriptを利用していないWebサイトを見つけることが難しいほど、世界中に普及しています。今、本書を手にとっている皆さんも、Webサイトの中で毎日のようにJavaScriptに触れているのです。

Webサイトは「コンテンツを表示する文書構造のためのHTML」、「見た目を変化させるCSS」、そして「Webサイトの動作部分を作るJavaScript」で成り立っています。車で例えるなら、「車体の骨組みを作るのがHTML」、「色などの見た目を作るのがCSS」、そして「アクセルやブレーキ、ライトなどの機能的なところを作るのがJavaScript」です。

HTML

CSS

JavaScript

Webサイトの骨組みを作るのがHTML

見た目を変化させるのがCSS

アクセルを踏むと前進するなど、機能面はJavaScriptで作る

▓ HTMLやCSSだけではできないことを実装するのがJavaScript

HTMLやCSSだけでもWebサイトは作成できます。さらにCSSでアニメーションを加えたり、画面幅にあわせて見た目を変更することも可能です。

ただ、**HTMLやCSSは一度ブラウザーに読み込まれたら、最初に書かれたコードから変化することはありません。**JavaScriptではHTMLやCSSをリアルタイムで書き換えたり、ユーザーの操作にあわせて動きや機能を加えられます。HTMLやCSSだけでは難しい、より高度で豊かな表現をJavaScriptなら実現できるのです。

■ JavaScriptはプログラミング初心者にもおすすめ

「プログラミング」と聞くと、とたんに難しそうに感じてしまう人もいるかもしれません。でも大丈夫です！ 前述の通り、JavaScriptはWebページを操作するための言語なので、皆さんがいつも利用しているWebブラウザーで動作します。特別な装置や環境も必要ありません。

また、JavaScriptは世界的に人気の言語なので、わからないことがあっても検索すればすぐに解決方法が見つかります。JavaScriptの学習サイトや勉強会、コミュニティーも多く、プログラミング初心者でも気軽に始められます。

chapter1

chapter2

chapter3

chapter4

chapter5

chapter6

chapter7

chapter8

COLUMN

—

JavaScriptとJavaは別の言語！

JavaScriptを「ジャバ」と省略して読んでいる人を時々見かけますが、これには注意が必要です。Java（ジャバ）という名前の別のプログラミング言語が存在するからです。もともと、JavaScriptはNetscape社※が開発したブラウザー向けの言語でMocha（モカ）という名前でした。その後LiveScript（ライブスクリプト）に改名されました。さらにその当時注目されていたSun Microsystems社（現：オラクル社）が開発していたプログラミング言語である「Java」の名前にあやかって、「JavaScript」と改名されました。

JavaScriptとJavaの違いは、よくメロンとメロンパンで例えられます。メロンとメロンパンは名前に「メロン」が入っているところと、食べ物であるという点は共通ですが、味も見た目も全然違います。JavaScriptとJavaも名前に「Java」が入っているところとプログラミング言語であるという点のみ共通していて、書き方も用途もまったく違います。混同しないようにしましょう。

メロンは
Java?

メロンパンは
JavaScript?

※Netscape社…かつて存在したアメリカ合衆国の企業。WebブラウザーであるNetscape Navigatorを開発した。

1-2 CHAPTER

JavaScriptでできること

HTMLとCSSとJavaScriptの違いがなんとなくわかってきましたでしょうか。次はJavaScriptでできる具体例を見ていきましょう。使い勝手のいいWebサイトを作るならJavaScriptは必要不可欠な存在です。

▨ 条件によってHTMLやCSSを書き換えることができる

JavaScriptの指示によってHTMLやCSSを操作し、表示されているWebページの見た目を変更することができます。この時のHTMLやCSSの書き換えは、実行されるとすぐにブラウザーに反映されます。ページが再度読み込まれるわけではなく、指定のあった部分だけ変更されるのです。JavaScriptの書き換えは体感速度が非常に速いのでユーザーを待たせないWebサイトを作成できます。

▧ テキストの書き換え

Webページではテキストのみを書き換える場面が多くあります。例えばパネルの「メニュー」と書かれた部分をクリックしてパネルが開くと「閉じる」に変更される、「読み込み中…」と書かれた部分がページの読み込み完了と同時に「完了！」に変わる、などです。

メニュー　　　　　閉じる　　　　読み込み中…　　　　完了！

▧ 画像の変更

HTMLの画像の表示は主に <img src="ファイル名.jpg" alt=""> といったかたちになります。この「src」で指定するファイル名のみを書き換えて別の画像に変更できます。

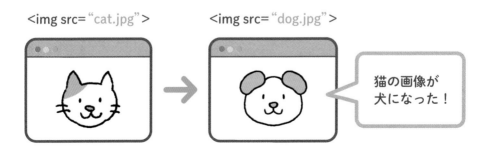

<img src="cat.jpg"> → <img src="dog.jpg">

猫の画像が犬になった！

▶ 色の変更

　CSSで指定する文字色や背景色などもJavaScriptで変更できます。例えば暗い配色を基調としたダークモードに切り替えたいときなどに利用できます。なお、ダークモードについてはP.102で詳しく解説します。

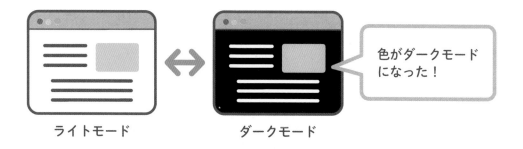

ライトモード　　　　　ダークモード

色がダークモードになった！

■ ユーザーのアクションに応じた動きを付ける

　CSSでもアニメーションを加えて動きのあるWebサイトを作成できます。ただCSSでは、CSSファイルを読み込んだ時点でアニメーションの内容もタイミングも決められます。JavaScriptではユーザーが行う「Webサイトのクリック」であったり、「スクロールする」などのアクションにあわせて動きを決められます。

▶ スクロールすると要素を表示する

　Webサイトをスクロールしていくと、横や下からスッと画像やテキストが表示されるようなページを見たことはありませんか？　これはJavaScriptを使ってスクロールにあわせて動きを指定しています。

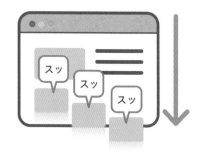

▶ フォームバリデーションでチェックする

　フォームバリデーションとは、入力フォーム内の入力内容や記述内容が要件を満たしているかをチェックする仕組みです。必須項目となっている入力欄に何も書かれていないと「必須項目です」といったメッセージが表示されます。

必須項目です

名前

　他にも様々な場面でJavaScriptが使われています。見た目のかっこよさだけではなく、使い勝手のいいWebサイトを作るためにもJavaScriptは必要不可欠な存在です。

chapter1

chapter2

chapter3

chapter4

chapter5

chapter6

chapter7

chapter8

1-3

CHAPTER

様々なJavaScriptを使ったWebサイト

実際にWebサイトの中でJavaScriptを使っている例を見てみましょう。普段意識していないだけで、私たちはWebサイトの色々な場面でJavaScriptを利用していることに気がつきます。

ローディング画像、アニメーション、絞り込み検索で利用

● **株式会社ACESのWebサイト**
アルゴリズムを用いて事業開発を行うAI事業会社。シンプルなデザインにまとめており、先進的な動きや機能がスタイリッシュです。
https://acesinc.co.jp/

ローディング画像

Webサイトにアクセスするとロゴマークの一部から全体像が徐々に表示され、ふんわりと消えていくアニメーションです。

数字から文字に変化する見出し

見出しは「1」と「0」の数字が表示されたあと、1文字ずつ日本語に変換されていきます。

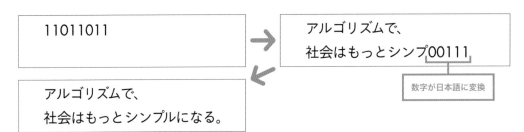

数字が日本語に変換

▶ ページ遷移のアニメーション

別のページへのリンクをクリックすると、背景色が斜めに伸びてページが切り替わります。

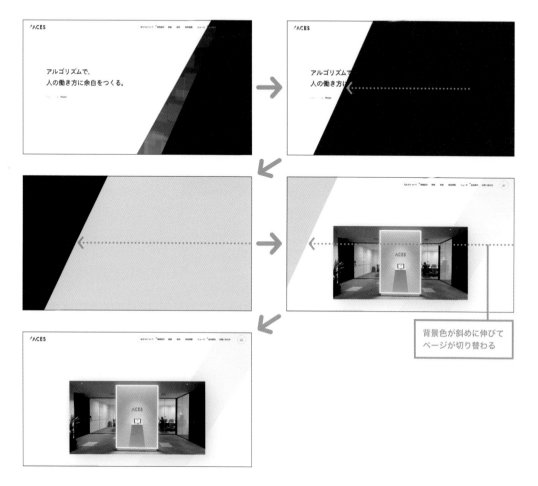

背景色が斜めに伸びて
ページが切り替わる

▶ コンテンツの絞り込み検索

実績やニュースのページでは、ページを移動することなく、カテゴリーごとに表示したいコンテンツを絞り込めます。

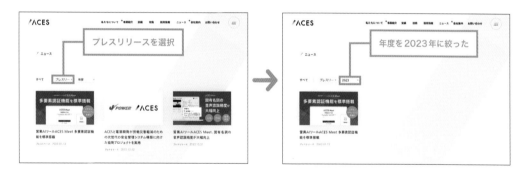

プレスリリースを選択

年度を2023年に絞った

chapter1

chapter2

chapter3

chapter4

chapter5

chapter6

chapter7

chapter8

カルーセル、Googleマップと連動、背景ぼかし、言語選択で利用

•ShiobaLove｜源泉遺産塩原温泉郷公式サイト

「塩原温泉旅館協同組合・塩原温泉観光協会」のWebサイトです。美しい風景を大きな画像や動画で伝えています。

https://www.siobara.or.jp/

左右に動くカルーセル

お知らせの画像とタイトルは、クリックすることで左右にくるくる回るように動く「**カルーセル**」を使って実装しています。

クリック

Googleマップと連動

観光スポットはGoogleマップと連動させて見やすく、探しやすくする工夫がされています。

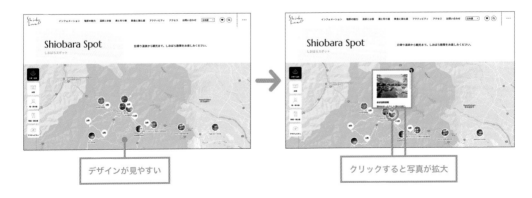

デザインが見やすい

クリックすると写真が拡大

chapter1

chapter2

chapter3

chapter4

chapter5

chapter6

chapter7

chapter8

▩ 背景画像と連動させて魅せる

　画面全体に少しぼかした画像を配置し、カルーセルで自動的に変化していきます。フォーカスすることで塩原温泉の様々な表情が見えてきます。

画面全体を少しぼかす

▩ 他の言語を選択

　上部メニューのセレクトボックスから、他の言語を選択すると、各言語用のWebサイトが表示されます。

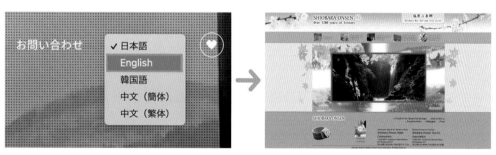

日本語からEnglishに切り替え。　　　　　　EnglishのWebサイトが表示された。

ふんわり表示、スライドメニュー、絞り込み検索、スクロールと表示で利用

● **Sustainable PRODUCTS の Webサイト**

環境に配慮した製品や取り組みを紹介している日本製紙グループの特設Webサイトです。

https://www.nipponpapergroup.com/sustainableproducts/

コンテンツをふんわり表示

Webサイトにアクセスすると、かわいいイラストのローディング画像が表示されます。背景のページの読み込みが終わると、見出しやボタンなどのコンテンツがふんわりと表示されます。

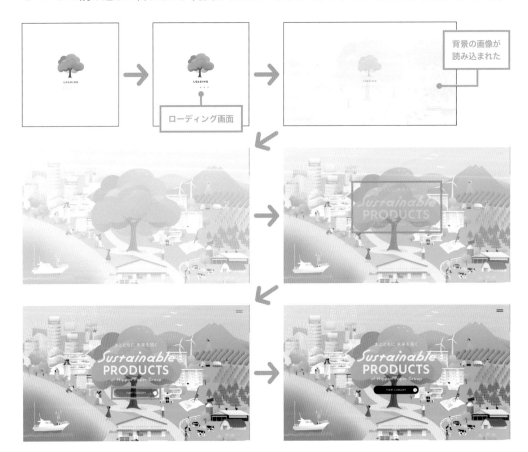

▌ スライドメニュー

　右上の2本のラインをクリックすると、画面右端からナビゲーションメニューが表示されます。また、2本のラインは「✕」の形に変化します。

右上の2本のラインをクリック　　ナビゲーションが表示される

▌ 絞り込み検索

　カテゴリーごとに絞り込み検索が可能です。カテゴリーを選択した際の、1つずつ順番に下からふわっと表示されるエフェクトも素敵です。

▌ スクロールと連動して表示

　スクロールした量にあわせてイラストが動き、コンテンツが表示されていきます。スクロールすると木の間に隠れていた文章が見えていきます。

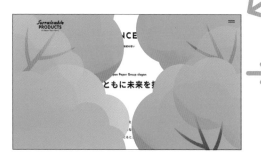

動く波、画像の切り替え、流体シェイプ、タイプ診断で利用

©snaq.me

● **おやつ体験BOX snaq.me の Webサイト**

ユーザーにあわせたおやつを定期便でお届けする「おやつ体験BOX snaq.me」のWebサイトです。

https://snaq.me/

スクロールにあわせて動く波

スクロールの量に応じてゆったりと波が動きます。

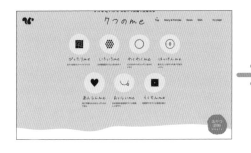 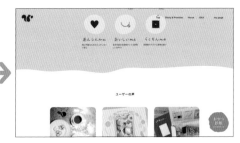

画像の切り替え

トップページでは一定時間が経過すると、右下から波が引いていくように画像が切り替わります。

▶ 流体シェイプ

水滴のような形がじんわりと形を変えていきます。

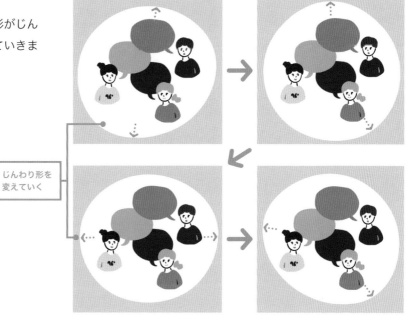

▶ タイプ診断

ページ右下にある「おやつ診断」ではタイプ診断ができます。「はい・いいえ」や選択肢から選ぶ方法でのタイプ診断も、JavaScriptで実装できます。

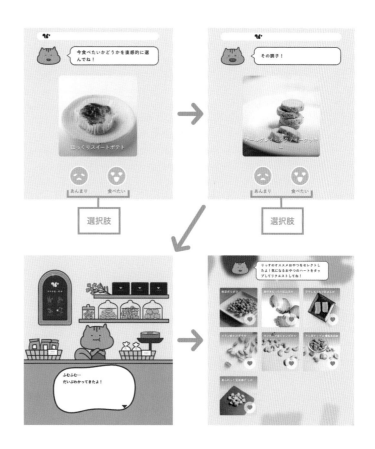

JavaScriptの効果的な学習方法

　本書では実際に手を動かしながら学習できるよう、サンプルデータやデモを用意しています。まずは書籍に書いてある通り丸写しでもかまわないので、実際にコードを書いてみてください。そして書いたコードが何を意味するのかを考えてみましょう。そうすることで自分が今、何がわかっているのか、何に難しいと感じているのかが明確になります。そうやって少しずつ学んでいきましょう。

Webデザイナーでも楽しく学べるJavaScript本

　10年以上前の話になりますが、JavaScriptを学習し始めたばかりの私はこうぼやいていました。「JavaScriptで2＋3の答えを出したいわけじゃないんだけどなぁ」
　JavaScriptは機能や動作を加えられるプログラミング言語のはずですが、Webデザイナーである私にはWebサイト上でJavaScriptを利用する場面があまり想像できず、その頃は「なんとなく」で学習していたように思います。私はただ、Webサイトをより便利に、よりきれいに作ってみたかっただけなのです。
　時が経ち、私がオンラインスクールでWebデザインを教えている生徒は言いました。「JavaScriptでWebアプリを作りたいわけじゃないんだよなぁ」
　まるで当時の自分を見ているようでした。私も彼も今作っているWebサイトに、より豊かな表現を加えたかっただけなのです。この本はそんな思いも込めてWebデザイナーでも楽しめる本の構成にしています。

CHAPTER 2

—

JavaScriptに触れてみよう！

JavaScriptがどんなものなのか、なんとなくイメージ
がついてきましたでしょうか？ この章ではJavaScript
を書く環境を整えます。さらに実際に簡単なコードも
書いて動かしてみましょう。

Introduction | Getting Started | Basic | Event | Data | Animation | Website | Troubleshooting

2-1 CHAPTER

JavaScriptはどこに書く？

Webページに JavaScript を適用させたいときは、どこにコードを書けばいいのでしょうか？ 適用させる方法は大きく分けて2通りあります。この節で1つずつ確認していきましょう。

▌HTMLファイルの中に書く

　HTMLのファイルの中に直接 JavaScript のコードを書くことができます。この場合、必ず「<script> ～ </script>」の間にコードを記述する必要があります。もし <script> タグに囲まれた範囲外に書いてしまうと、JavaScript のコードだと認識されないため動作しません。

JS 記述例

```
<script>
// この中に JavaScript のコードを書きます
</script>
```

<script> ～ </script>
の間にコードを記述する

　記述する場所は、HTMLファイル内の <head> タグの中や、<body> タグの中であればどの位置に書いてもかまいません。

HTML head に書く例

```
<!DOCTYPE html>
<html lang="ja">
<head>
  <meta charset="UTF-8">
  <title>head にJavaScriptのコードを書く</title>
  <script>
    // この中に JavaScript のコードを書きます
  </script>
</head>
<body>
 ・・・・・・
</body>
</html>
```

<head>タグの中に記述

📄 body に書く例

```
<!DOCTYPE html>
<html lang="ja">
<head>
  <meta charset="UTF-8">
  <title>body に JavaScriptのコードを書く</title>
</head>
<body>
 ・・・・・・

  <script>
    // この中に JavaScriptのコードを書きます
  </script>
</body>
</html>
```

<body>タグの中に記述

　ただし、この方法だと同じJavaScriptを適用したいページが複数あった場合に、すべての HTMLファイルに同じコードを記述しなければいけません。複数のページに利用したいコードがある場合は、次の外部ファイルの読み込みで適用させるといいでしょう。

■ JavaScriptファイルを作成して書く

　拡張子「**.js**」をつけてファイルを作成し、その中にコードを記述します。JavaScriptファイル内には<script>タグは不要です。直接JavaScriptのコードを書いていきます。

　作成したJavaScriptファイルは、HTMLファイルに<script>タグを使って読み込みます。読み込ませるファイルはsrc属性で指定します。読み込ませる場所は、HTMLファイルの中に直接コードを書く場合と同じく、HTMLファイル内の<head>タグの中や、<body>タグの中であればどの位置に書いてもかまいません。この方法なら複数のページに利用したいコードがある場合でも使えます。もし修正が入った場合でも1つのJavaScriptファイルを変更するだけなので簡単です。

📄 記述例

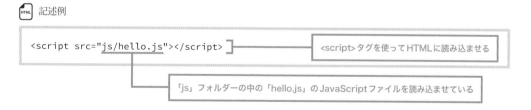

```
<script src="js/hello.js"></script>
```

<script>タグを使ってHTMLに読み込ませる

「js」フォルダーの中の「hello.js」のJavaScriptファイルを読み込ませている

　また、1つのHTMLファイルに複数のJavaScriptファイルを読み込ませることも可能です。読み込ませる指定をした順にファイルが読み込まれ、それぞれの処理が実行されます。

HTML 複数の JavaScript ファイルを読み込む例

```html
<!DOCTYPE html>
<html lang="ja">
<head>
  <meta charset="UTF-8">
  <title>複数のJavaScriptファイル</title>
</head>
<body>
  ・・・・・・

  <script src="js/hello.js"></script>
  <script src="js/bye.js"></script>
  <script src="js/goodnight.js"></script>
</body>
</html>
```

複数の JavaScript ファイルを
読み込ませた

　この例ではまず HTML がブラウザーに読み込まれ、その後「hello.js」「bye.js」「goodnight.js」の順に JavaScript ファイルが読み込まれます。

COLUMN

—

気軽にJavaScriptを試せるオンラインツール①

　ブラウザー上で HTML や CSS、JavaScript のコードを記述して表示を確認できる Web サービスがあります。会員登録をしなくてもコードの記述や動作確認ができますので活用してみるといいでしょう。本書のデモ（P.012参照）でも使用している CodePen のサービスを紹介します。

● CodePen
ホームの左上の［Start Coding］ボタンをクリックすると、コードを記述する画面に移動します。HTML の欄には基本的に <body> タグの中の部分のみ記述すれば OK です。外部ライブラリーの読み込みや画像素材も無料で利用できます。有料版ではコードを非公開にしたり、他の人と作業することも可能です。
https://codepen.io/

2-2
CHAPTER

JavaScriptを書く環境を用意しよう

「プログラミング」と聞くと特殊な開発環境が必要だと思うかもしれません。しかしJavaScriptでは必要ありません。HTMLやCSSを書いたことがある人は、それと同じツールを使えます。表示の確認もWebブラウザーで行えるのです。

Visual Studio Codeとは

まずはファイルを作成したり編集するための**エディター**と呼ばれるツールを用意しましょう。どのエディターを使っても構いませんが、本書では「**Visual Studio Code**」、通称「**VSCode**」というMicrosoft社製のエディターを利用します。VSCodeは初期状態でも制作に必要な機能が備わっているため、初心者でも扱いやすいと人気です。また、VSCodeはMac・Windowsともに無料で利用できます。

VSCodeをインストールする

まずはVSCodeを公式サイトからダウンロードし、インストールしましょう。ボタンをクリックしてダウンロードし、インストールします。

https://code.visualstudio.com/

ここからダウンロードし、インストールをする

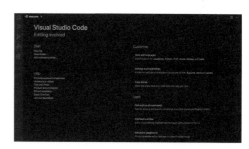

インストールが完了し、VSCodeを起動すると、このような画面が表示されます。なお、OSの設定によって背景が白い場合もあります。

 POINT

VSCodeのインストールの流れは著者のYouTube動画でも紹介しています。動きを見ながらインストール手順を確認したい方はぜひ見てみてください。
https://www.youtube.com/watch?v=kdl6sGzmK5Q

■ VSCodeを日本語化する

インストールした状態ではメニューなどが英語で表示されています。日本語の方が使いやすい場合は画面を日本語化しましょう。

左側に表示されているメニューの一番下のアイコンをクリックし、拡張機能の追加画面を表示します。パネル上部にある検索ボックスから「Japanese」と入力すると、拡張機能［Japanese Language Pack for Visual Studio Code］が見つかります。クリックして［Install］ボタンからインストールしましょう。

インストールの完了後VSCodeを再起動すると、日本語の画面に切り替わります。

これで初期設定は完了です！
次節から実際にJavaScriptのファイルを作成してコードを書いていきましょう！

2-3
CHAPTER

はじめてのJavaScriptを書いてみよう

JavaScriptを適用する方法は「HTMLファイルの中に書く」「別途JavaScript
ファイルを作成して読み込む」の2通りでした。この2通りの方法を使って簡単
なJavaScriptのコードを書き動かしてみます。

①HTMLファイルの中に書く方法

▶ サンプルデータ
chapter2/03-demo1

P.028「2-1　JavaScriptはどこに書く？」で紹介したHTMLファイルの中に書く方法を試し
てみます。まずはVSCodeを立ち上げ、ファイルを整理するためのフォルダーを作成すること
からはじめます。

HTMLファイルを用意する

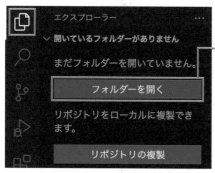

VSCodeを立ち上げ、まずはファイルを整理するためのフォ
ルダーを作成しましょう。画面左側にある［フォルダーを開
く］ボタンをクリックし、任意の保存場所を選択して新規フォ
ルダーを作成します。

「03-demo1」と入力

ここでは「03-demo1」というフォルダー名にしました。

 POINT

もし［フォルダーを開く］というボタンが表示されていない場合
は、画面上部メニューの［ファイル］→［開く...（ファイルを開く...）］
をクリックすると、同じようにフォルダーを選択するパネルが表
示されます。

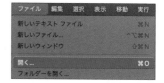

POINT

もし右のような画像が表示された場合はこれはWeb上
からダウンロードしたファイルに対して表示されるもの
ですので「はい、作成者を信頼します」をクリックしま
しょう。

 POINT

下記で説明している新規ファイルは上部メニューから［ファイル］
→［新規ファイル］を選択して作成することもできます。

続いて、画面左側の［＋］のついた新規ファイル作成アイコ
ンをクリックし新規ファイルを作成します。

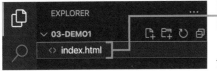

ファイル名は「index.html」としましょう。

<script>タグの中にJavaScriptのコードを記述する

　作成した新規ファイル「index.html」に、ベースとなるHTMLコードを用意します。<body>
タグ内に何も記述していないので、この段階では真っ白なページが表示されるだけです。

📄 index.html

```
<!DOCTYPE html>
<html lang="ja">
<head>
    <meta charset="UTF-8">
    <title>HTML内にJavaScriptを書く</title>
</head>
<body>

</body>
</html>
```

　ベースのHTMLの中に<script>タグを記述しましょう。<body>タグの中に書いています。

index.html

```
<!DOCTYPE html>
<html lang="ja">
<head>
    <meta charset="UTF-8">
    <title>HTML内にJavaScriptを書く</title>
</head>
<body>
    <script></script>
</body>
</html>
```

<script>タグを記述した

そしてその<script>タグの開始タグと終了タグの間に「window.alert('はじめてのJavaScript!');」と書きます。「はじめてのJavaScript!」以外はすべて半角英字で記述しましょう。記述が終わったらファイルを任意の場所に保存します。ファイルの保存は上部メニューの［ファイル］→[保存]を選択します。ショートカットはMacなら ⌘ + S キー、Windowsなら Ctrl + S キーです。

index.html

```
<!DOCTYPE html>
<html lang="ja">
<head>
    <meta charset="UTF-8">
    <title>HTML内にJavaScriptを書く</title>
</head>
<body>
    <script>window.alert('はじめてのJavaScript!');</script>
</body>
</html>
```

記述した

保存したindex.htmlファイルをダブルクリックしてブラウザーで表示してみると、下図のような警告ダイアログが表示されます。はじめてのJavaScriptコードがうまく動作しました！「window.alert」というコードを使うと、カッコやシングルクォーテーションで囲まれた中のテキストが、警告ダイアログとして表示できることがわかりました。この「window.alert」について、詳しくはP.038「2-4　JavaScriptを書くときの基本ルール」で解説します。

ダイアログが表示された

②JavaScriptファイルを作成する方法

JavaScriptを記述するもう1つの方法として、HTMLファイルの他にJavaScriptファイルを用意して読み込ませる方法もあります。

JavaScriptファイルを用意する

先ほどと同じ手順で、今度は「03-demo2」というフォルダーを作成します。その中に「first.js」という新規ファイルを作成しましょう。「first.js」の中に以下のコードを記述して保存します。

first.js

```javascript
window.alert('はじめてのJavaScript!');
```

「first.js」に記述したコード

HTMLにJavaScriptファイルを読み込ませる

同じ「03-demo2」フォルダー内に新規ファイル「index.html」を作成し、以下のベースとなるコードを記述して保存します。これは前のページで解説していた①の手順で書いたコードの「alert」の部分を消した内容になります。

index.html

```html
<!DOCTYPE html>
<html lang="ja">
<head>
    <meta charset="UTF-8">
    <title>JavaScriptファイルを読み込む</title>
</head>
<body>
    <script></script>
</body>
</html>
```

「alert」の部分は消しておく

scriptの開始タグに属性として「src="first.js"」を書き足します。これで「first.js」を読み込ませる指定ができました。

📄 index.html

```html
<!DOCTYPE html>
<html lang="ja">
<head>
    <meta charset="UTF-8">
    <title>JavaScriptファイルを読み込む</title>
</head>
<body>
    <script src="first.js"></script>
</body>
</html>
```

開始タグに属性を書き足す

index.htmlファイルとして保存し、index.htmlファイルをブラウザーで表示してみましょう。①の手順と同様に警告ダイアログが表示されます。

✅ POINT

もしうまくいかないときは、P.337「8-2　よくあるエラー一覧」を確認し、スペルミスや全角になっていないかなど、当てはまるミスがないか確認してみましょう。

window. は省略できる

次節のP.038「2-4　JavaScriptを書くときの基本ルール」で詳しく解説しますが、今回書いたコードのうち「window.」は省略することができます。以下のように記述しても同じく動作しますので、確認してみるといいでしょう。

📄 first.js

```javascript
alert('はじめてのJavaScript!');
```

「window.」を省略した

2-4
CHAPTER

JavaScriptを書くときの基本ルール

前節で言われるがままにコードを書いてみると、メッセージと［OK］ボタンのみの警告ダイアログが表示されました。これはどういった仕組みだったのでしょうか。ここではそのコードの内容を読み解いていきます。

JavaScriptの基本文法

前節で書いたJavaScriptのコードは次の通りです。

```
window.alert('はじめてのJavaScript!');
```

このコードは大きくわけて下の図のように3つのパーツに分かれています。

window.alert('はじめてのJavaScript!');

オブジェクト　　　　メソッド　　　　パラメーター

window - オブジェクト(物)とは

オブジェクトは英語で「**物**」という意味です。これから**動作させる対象となる物を指示**します。ここでは「window」としているので、ユーザーが見ているブラウザーのウィンドウそのものを意味します。警告ダイアログは画面全体に表示されるものなので、「window」を対象として指定しているわけですね。

✔ POINT

オブジェクトには「window（ウィンドウ）」の他に「history（閲覧履歴）」や「document（HTML全体）」など、様々な種類が階層となって存在しています。詳しくはP.063「3-5 DOMを理解しよう」で解説します。

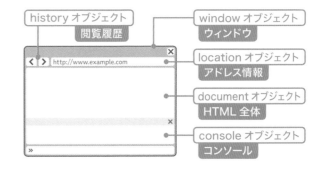

なお、オブジェクトの中でも「window」に限り特別に省略することができます。そのため前節の最後に記載したように以下のように記述しても同じように動作します。

```js
first.js
```

```
alert('はじめてのJavaScript!');
```

「window.」を省略した

alert() - メソッド（動作・命令）とは

「**メソッド**」は英語で「**方法**」という意味で、ここでは「**動作・命令**」と表現します。

ここの「alert」は「警報」という意味で、JavaScriptでは「警告ダイアログを表示する」という動きをします。この「alert()」は、組み込みオブジェクト（ビルトインオブジェクト）と呼ばれるブラウザーに最初から用意されているプログラムの一部です。メソッドは「alert()」の他にも文字列を操作したり、数学的な計算ができる組み込みオブジェクトが存在しますが、それらはまたCHAPTER 3で紹介していきます。

'はじめてのJavaScript!' - パラメーター（調整値）とは

alert()メソッドで警告ダイアログが表示できることがわかりましたが、これだけではどんな警告メッセージを表示するのかわかりません。そこで丸カッコの中にメソッドを補足する情報である調整値を記述します。この調整値のことを**パラメーター**と言います。パラメーターを記述することにより、警告ダイアログ内にここで指定したメッセージが表示されるようになります。

なお、パラメーターが通常のテキストである場合は、引用符（シングルクォーテーションまたはダブルクォーテーション）でテキストを囲む必要があります。

指示の内容

まとめると、JavaScriptの基本文法は「オブジェクト.メソッド('パラメーター')」という形になり、前節で紹介した下のコードは、ウィンドウに対して『「はじめてのJavaScript!」という警告ダイアログを表示してね』と具体的な指示を出しているわけです。

```
window.alert('はじめてのJavaScript!');
```

プログラムの基本はコンピューターに指示を出すことです。「具体的に」「正確に」指示を出さないと動いてくれません。

▥ コードを書くときのルール

正確に指示を伝えるために、JavaScriptのコードを書くときのルールを押さえておきましょう。

▥ 半角英数字で書く

コードは記号も含めて全て半角英数字で書きます。全角スペースもエラーになってしまうので注意しましょう。

良い例	悪い例
alert('こんにちは');	ａｌｅｒｔ（'こんにちは'）；　※英語や記号が全角になっている
alert('こんにちは');	alert　('こんにちは');　※全角スペースが混ざっている

▥ 大文字と小文字は区別される

JavaScriptでは大文字と小文字が区別されます。同じ英単語であっても大文字と小文字が混ざれば別のものだと認識されてしまいます。例えば今回使用した「alert」を「Alert」と書くとエラーとなり、警告ダイアログは表示されません。

▥ 文字列は引用符で囲む

今回の「はじめてのJavaScript!」のような文字列を扱うときは、テキスト部分をシングルクォーテーション、またはダブルクォーテーションで囲みます。本書ではシングルクォーテーションを利用してコードを解説していますが、どちらでも変わりはありません。

なお、筆者がシングルクォーテーションを使う理由は主に以下の3点です。

- HTMLの属性値はダブルクォーテーションを使われることが多いので、それと区別するため
- 筆者が利用しているUSキーボードでは、シングルクォーテーションの入力ならシフトキーを押す必要がない
- 見た目がシンプル（な気がする）

これは好みもあるので、入力しやすい方を利用してください。

▥ 命令文の最後にセミコロンを付ける

今回作成したのは「alert()」を使った1行のコードでしたが、JavaScriptのファイルには数多くの命令文が並ぶこともあります。文字数が増えてどこからどこまでが1つの命令文なのか区切りをつけるために、命令文の最後には「;（セミコロン）」を付けます。これは日本語の行末につける句点「。」と同じような使い方になります。

ただ、実際はセミコロンを省略しても動作するケースが多いです。動作する場合とそうではな

い場合の判別がつきづらいため、最初のうちは基本的に省略せず、必ずセミコロンを付けるようにしておくと、余計なトラブルを回避できるでしょう。

chapter1

chapter2

chapter3

chapter4

chapter5

chapter6

chapter7

chapter8

COLUMN

—

特殊文字を表示させるには？

文字列を扱うときは引用符で囲みますが、その文字列の中に引用符を含めたいときもあります。例えば以下の文では「You're special!」というメッセージを扱いたいので、パラメーターの中にアポストロフィ（シングルクォーテーション）が含まれています。

しかし、このコードではどこまでがパラメーターなのかわからないため、エラーとなって警告ダイアログは動作しません。そこで、「\（バックスラッシュ）」または「¥（円マーク）」と、文字を組み合わせて入力することで、このようなエラーを回避できます。

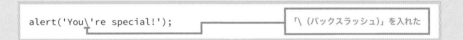

ここで入力した「\」や「¥」は、実際には表示されません。この書き方を**エスケープ表記**や**エスケープシーケンス**と言います。他の特殊文字にも使えるので、入力時に困ったときは利用するといいでしょう。

エスケープ表記	意味
\' (¥')	シングルクォーテーション
\" (¥")	ダブルクォーテーション
\n (¥n)	改行

● **エスケープ表記 String - JavaScript | MDN**
https://developer.mozilla.org/ja/docs/Web/JavaScript/
Reference/Global_Objects/String#エスケープ表記

2-5 CHAPTER コンソールを使ってみよう

Google Chromeには、Webサイト制作に役立つ機能がひとまとめになったデベロッパーツールが標準搭載されています。その中でもコンソールと呼ばれるパネルはJavaScriptのプログラムがうまく動いているかどうかを検証できます。

コンソールを開こう

デベロッパーツールを表示する

JavaScriptのプログラムがうまく動いているかどうかを検証できる**コンソール**はGoogle Chrome（Chrome）の**デベロッパーツール**の中に入っています。まずはデベロッパーツールの表示方法を確認しましょう。どこでも構わないのでChromeでWebページを開いて、［右クリック］→［検証を選択］をクリックしましょう。デベロッパーツールが表示されます。

✅ POINT

デベロッパーツールはショートカットキーでも起動できます。Macは Shift + ⌘ + C キーまたは Option + ⌘ + I キー、Windowsは Ctrl + Shift + I キーまたは F12 です。

デベロッパーツールが起動した

左図ではGoogleの検索ページからデベロッパーツールを表示させています。
https://www.google.co.jp/

✅ POINT

デベロッパーツールは、「開発者ツール」「DevTools」など様々な呼び名があります。Chrome以外のブラウザー（Firefox、Edge、Safari）にも同等の機能が備わっていますが呼び名が異なることがありますのでご注意ください。

▶ コンソールパネルを表示する

デベロッパーツールが開いたら、[Console] タブをクリックします。そこで表示されたエリアがコンソールです。ここに直接JavaScriptのプログラムを書き込んだり、実行結果を表示したりできます。

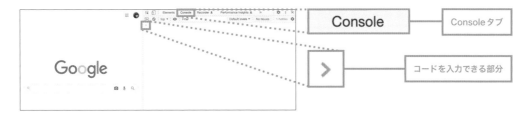

■ コンソールを使ってみよう

▶ コンソールに文字を表示しよう

コンソールの白いパネル部分には直接JavaScriptのコードを入力できます。上の図で示している ▷ のアイコンがある部分をクリックし入力してみます。これまでに学習した alert() メソッドを使ってみましょう。

JS コンソールに入力

```
alert('はじめてのコンソール！');
```

[return] ([Enter]) キーを押すと、これまで通り警告パネルに「はじめてのコンソール！」というメッセージが表示されました！

「alert()」ばかりで飽きてきましたか？ それではコンソールに使える「console.log()」も使ってみましょう。次のように入力します。

JS コンソールに入力

```
console.log('はじめてのコンソール！');
```

[return] ([Enter]) キーを押すと、記述した次の行に「はじめてのコンソール！」と表示されました。

このコードは「console」がオブジェクト、「log()」がメソッド、「'はじめてのコンソール！'」がパラメーターという構成になっています。「log」は日本語にすると「記録する」という意味ですが、ここでは「出力する」という意味で使われます。つまり、『コンソールに「はじめてのコンソール！」と出力してね』という命令文になります。

ファイルから呼び出す方法

この「console.log()」はデベロッパーツールのコンソール以外の場所で書いても同じように動作します。新規HTMLファイルを作成し、<script>タグを使って「console.log('はじめてのコンソール！');」と記述しましょう。

index.html

```html
<!DOCTYPE html>
<html lang="ja">
<head>
    <meta charset="UTF-8">
    <title>コンソールに出力する</title>
</head>
<body>
    <script>console.log('はじめてのコンソール！');</script>
</body>
</html>
```

console.log()を記述

保存してHTMLファイルを開き、デベロッパーツールのコンソールを見てみると、「はじめてのコンソール！」と出力されているのがわかります。

出力されている

なんのためにコンソールを使うのか？

今はまだコンソールがなんの役に立つのかわかりづらいかもしれません。しかし、これから JavaScriptのプログラムを書いていくうちに、必要不可欠な存在となるはずです。コンソールを使う主なメリットを見ておきましょう。

エラーの確認に使える

入力ミスがあれば、コンソールに赤い文字でエラーメッセージが表示されますのでエラーの確認に使えます。もし下の画像のようにエラーが出たらびっくりしてしまいますよね。でも大丈夫です。パソコンが爆発することはありません。

上の例では閉じるシングルクォーテーションを書き忘れたため「Uncaught SyntaxError: Invalid or unexpected token」というエラーが表示されています。このように、コンソールは間違った場所や原因の特定に欠かせない機能です。

なお、よくやりがちなミスとエラー文、解決方法はP.333「CHAPTER 8　エラーと解決方法」でまとめています。もしエラーに遭遇したら確認し、落ち着いて修正しましょう。

制作途中のプログラムの確認に使える

「console.log()」を使うと、制作途中のプログラムであっても、その時点でのデータを出力できます。多くの場合、意図したデータが渡されているのかを確認するために使用します。もし想定されている動作と違っていたら、記述した「console.log()」よりも前に何かしらの間違いがあったのだとわかります。最初から最後まで、確認することなくプログラムを書き上げるよりも、ミスがないか少しずつ確認しながら書き進めた方が、結果的に実装時間が短縮されるでしょう。

「alert()」でも同じようにデータ出力の確認ができますが、「console.log()」の場合は警告ダイアログが出ないので、毎回 [OK] ボタンをクリックする手間が省けます。また、より細かなデータの確認が可能となります。

 POINT

デベロッパーツールのレイアウトは変更できます。変更はパネル右上にある3つのドットをクリックして、「Dock Side（固定サイド）」から指定のアイコンを選択することでできます。なお、本書では読者に見やすい紙面になるように下側に配置している場合が多いです。

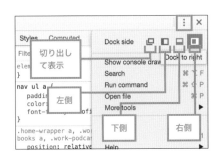

■ 開発者ツールを日本語化する

Chromeのデベロッパーツールはデフォルトでは英語で表示されますが、日本語に設定することも可能です。デベロッパーツールを開いて右上にある ⚙ アイコンをクリックしましょう。

バツアイコン

[Japanese - 日本語] に設定

PreferencesにあるLanguageの項目を [Japanese - 日本語] に変更し、右上のバツアイコンをクリックします。

クリックして再起動

上部に [Reload DevTools] ボタンが表示されているのでクリックしてデベロッパーツールを再起動します。

これで画面が日本語になりました。これならわかりやすく使いやすいですね！

CHAPTER 3

—

JavaScriptの基本を学ぼう！

プログラムを動かすには基本的な記述方法やルールを知っておく必要があります。ただ文法の話ばかりだと退屈です。この章では背景色を変更する「カラーピッカー」を作りながら、JavaScriptの基本機能を学んでいきます。

Introduction | Getting Started | Basic | Event | Data | Animation | Website | Troubleshooting

3-1
CHAPTER

作成するカラーピッカーの紹介

制作作業に入る前に、この章で作るカラーピッカーの具体的な機能を把握しておきましょう。目標が明確になると全体の流れや書いているコードの必要性がわかりやすくなります。

■ カラーピッカーの機能

サンプルデータ
chapter3/ColorPicker

　背景の色を好みの色に変更することができます。詳しくは完成版のサンプルデータのindex.htmlを開く、もしくはQRコードからデモにアクセスして試してみてください。

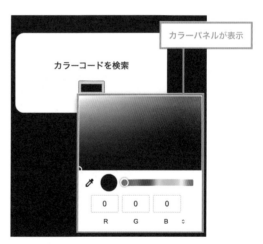

画面中央にある色をクリックすると、好みの色を選択することができます。

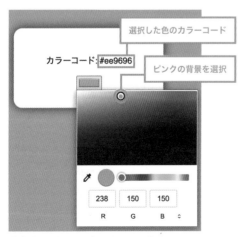
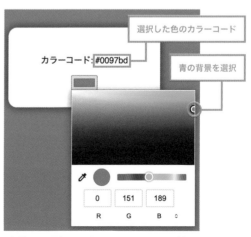

背景色は選択した色に変わり、「カラーコード」の文字の右横には選択した色のカラーコードが表示されます。

黒と白の場合

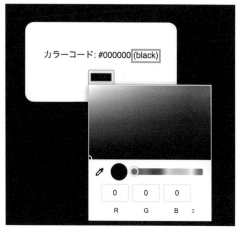

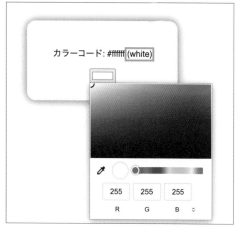

黒の場合は（black）とカラーネームも表示されます。

白の場合は（white）とカラーネームも表示されます。

完成コード

HTML index.html

```
<!DOCTYPE html>
<html lang="ja">
<head>
    <meta charset="UTF-8">
    <meta name="viewport" content="width=device-width, initial-scale=1.0">
    <title>カラーピッカー </title>
    <link rel="stylesheet" href="css/style.css">
    <script src="js/script.js" defer></script>
</head>
<body>
    <div>
        <p id="colorText">カラーコードを検索</p>
        <input id="colorPicker" type="color">
    </div>
</body>
</html>
```

js/script.js

```
const text = document.querySelector('#colorText');
const color = document.querySelector('#colorPicker');

// カラーピッカーを操作したときの一連の動作
const colorBg = () => {
  // 選択した色を背景色に設定
  document.body.style.backgroundColor = color.value;

  // カラーコードを表示
  if (color.value === '#ffffff') {
    text.textContent = `カラーコード: ${color.value} (white)`;
  } else if (color.value === '#000000') {
    text.textContent = `カラーコード: ${color.value} (black)`;
  } else {
    text.textContent = `カラーコード: ${color.value}`;
  }
};

// カラーピッカーが変更されたら colorBg を発動させる
color.addEventListener('input', colorBg);
```

css/style.css

```
body {
  text-align: center;
  font-family: sans-serif;
  display: grid;
  place-items: center;
  height: 100vh;
  background: #000;
}
div {
  background: #fff;
  padding: 2rem;
  border-radius: 1rem;
  width: 12.5rem;
  box-shadow: 0 0 1rem rgba(0,0,0,.5);
}
```

3-2
CHAPTER

必要なファイルを用意しよう

まずは必要なフォルダーとファイルを用意します。なお、Webページを作成するにはHTMLやCSSファイルも必要になります。本書ではJavaScriptの学習に専念してもらうため、これらのサンプルデータを用意しています。

▓ HTMLファイルを作成する

▶ サンプルデータ
chapter3/02-demo

任意の場所に「ColorPicker」というフォルダーを作成し、その中に「index.html」ファイルを新規で作成します。もし右上記載のサンプルデータ（P.012参照）を使用する場合は必要なコードをそのまま書き写すか、コピー＆ペーストしてご利用ください。

📄 ColorPicker/index.html

```
<!DOCTYPE html>
<html lang="ja">
<head>
    <meta charset="UTF-8">
    <meta name="viewport" content="width=device-width, initial-scale=1.0">
    <title>カラーピッカー </title>
</head>
<body>
    <div>
        <p id="colorText">カラーコードを検索</p>
        <input id="colorPicker" type="color">
    </div>
</body>
</html>
```

> <input> タグの type 属性を color とすることで、カラーピッカー（色を選択できる入力欄）を表示させる。

保存してブラウザーで確認すると、カラーピッカーが表示されているのがわかります。黒い四角形をクリックすると、ドラッグして色が選択できるようになっています。

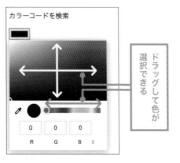

🏅 POINT

閲覧するブラウザーによってカラーピッカーの見え方は異なります。本書の画像はパソコンのGoogle Chromeを利用している例の表示になります。

CSSファイルを作成する

続いて「ColorPicker」フォルダー内に「css」フォルダーを作成し、さらにその中に「style.css」ファイルを作成します。style.cssにはベースとなる色や余白、配置などを指定しています。

CSS ColorPicker/css/style.css

```css
body {
    text-align: center;
    font-family: sans-serif;
    display: grid;
    place-items: center;
    height: 100vh;
    background: #000;
}
div {
    background: #fff;
    padding: 2rem;
    border-radius: 1rem;
    width: 14rem;
    box-shadow: 0 0 1rem rgba(0,0,0,.5);
}
```

色や余白、配置の指定

このstyle.cssをindex.htmlに読み込ませます。<head>タグ内に<link>タグを使って読み込ませましょう。

HTML ColorPicker/index.html

```html
<!DOCTYPE html>
<html lang="ja">
<head>
    <meta charset="UTF-8">
    <meta name="viewport" content="width=device-width, initial-scale=1.0">
    <title>カラーピッカー</title>
    <link rel="stylesheet" href="css/style.css">
</head>
<body>
    <div>
        <p id="colorText">カラーコードを検索</p>
        <input id="colorPicker" type="color">
    </div>
</body>
</html>
```

CSSを読み込ませる

背景色が黒くなった

背景色が黒になり、カラーピッカーを含む要素が画面中央に表示されました。これでCSSの設定は完了です。

■ JavaScriptファイルを作成する

そしていよいよJavaScriptファイルの作成です。CSSと同様に「ColorPicker」フォルダー内に「js」フォルダーを作成し、その中に「script.js」ファイルを作成しましょう。

現段階ではちゃんとファイルが読み込まれているか確認できていればいいので、「console.log()」を使ってコンソールにメッセージを表示させます。

JS ColorPicker/js/script.js

```
console.log('準備完了！');
```

そしてscript.jsをindex.htmlに読み込ませます。P.028「2-1　JavaScriptはどこに書く？」でも紹介したとおり、<script>タグはどこに書いてもいいのですが、ここでは<head>内に記述しています。また、src属性でファイルを指定するだけでなく、**defer**という属性も一緒に記述しています。

HTML ColorPicker/index.html

```
<!DOCTYPE html>
<html lang="ja">
<head>
    <meta charset="UTF-8">
    <meta name="viewport" content="width=device-width, initial-scale=1.0">
    <title>カラーピッカー </title>
    <link rel="stylesheet" href="css/style.css">
    <script src="js/script.js" defer></script>        <head>内に記述
                                                       defer属性も一緒に記述
</head>
                          defer属性
<body>
    <div>
        <p id="colorText">カラーコードを検索</p>
        <input id="colorPicker" type="color">
    </div>
</body>
</html>
```

▶ なぜdefer属性を付けたのか？

defer属性を付けた理由を簡単に言えばWebページの読み込みを速くするためです。Webページを表示するとき、ブラウザーはHTMLのコードを上から下へ順番に解析し、実行していきます。しかし \<script\> タグにdefer属性がある場合、1つの処理の終了を待たずに次の処理を行う、**非同期処理**で進められます。少しわかりづらいので図と一緒に違いを見ていきましょう。

\<head\>タグ内でJavaScriptファイルを読み込ませる場合

\<head\> タグ内にJavaScriptを読み込ませるための \<script\> タグがある場合、そこに到達した時点でHTMLの解析が一旦停止され、JavaScriptの読み込みと実行が行われます。そしてJavaScriptが実行されたあとに、残りのHTMLの解析が続けられます。JavaScriptのプログラムがHTMLの要素に紐付けられている場合、プログラムの実行自体ができずエラーになってしまうこともあります。

\</body\>の直前でJavaScriptファイルを読み込ませる場合

そのため、以前はJavaScriptは閉じる \<body\> タグの直前で読み込むことが推奨されていました。そうすればHTMLの解析が終わった段階でJavaScriptの読み込み・実行ができるので、HTML要素と紐付いたプログラムも問題なく処理されます。しかし、Webページ全体の読み込み時間が短縮されたわけではありません。

\<head\>タグ内でdeferをつけてJavaScriptファイルを読み込ませる場合

そこで、\<script\> タグにdefer属性を指定します。そうすればHTMLの解析が中断されることなく、JavaScriptファイルの読み込みが同時に行われます。そしてHTMLの解析が終了したあとに、読み込んだJavaScriptが実行されるので、Webページの読み込み速度も改善されます。

HTML解析 　　　　　　　　　　　　JS実行

同時に読み込める → JS読み込み

　基本は\<head\>タグ内でJavaScriptファイルの読み込み指定をして、defer属性をつけて読み込ませるといいでしょう。

 POINT

非同期処理は、コンビニのレジでお弁当を温めてもらう場面を想像するとわかりやすいかもしれません。店員はお弁当を温めている間に会計をし、温め終わったら袋に入れて渡してくれますよね。これが非同期処理です。一連の流れが非同期でない場合は、お弁当を温めている間、ひたすらレンジの前で待ち、温め終わってから袋に入れて会計をする…という無駄な時間が発生します。

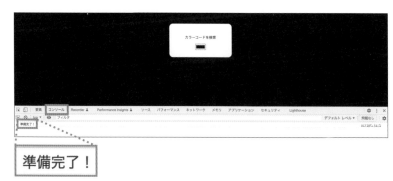

準備完了！

ファイルを保存してコンソールを見てみましょう。
「準備完了！」と表示されれば、うまくJavaScriptファイルが読み込まれている証拠です。

■ ディレクトリー構成

　現段階で右のようなディレクトリー構成になっています。次節からscript.jsにコードを書いていきましょう！

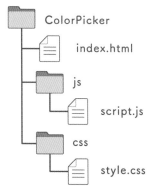

3-3
CHAPTER

カラーピッカーの色の値を取得しよう

まずはHTMLで用意したカラーピッカーをJavaScript側から扱えるように設定しましょう。あらかじめ付与しておいたID属性を使って指定していきます。

■ HTML要素の取得方法

サンプルデータ
chapter3/03-demo

今回扱いたいのは、IDが「colorPicker」の<input>タグです。この設定がされているIDを元に、JavaScriptと紐付けます。

HTML ColorPicker/index.html

```
<input id="colorPicker" type="color">
```

IDが「colorPicker」

HTMLの中から任意のIDがついた要素を取得するには、「querySelector()」というメソッドを使います。P.038「2-4　JavaScriptを書くときの基本ルール」であったように、JavaScriptの基本文法は「オブジェクト.メソッド('パラメーター')」という形になるのでした。IDからHTMLの要素を取得するときも、そのルールの通り、3つのパーツから構成されます。

JS 記述例

```
document.querySelector('セレクター')
```

document.querySelector('セレクター')

オブジェクト　　　　メソッド　　　　パラメーター

これで「HTML全体を表すdocumentオブジェクトの中から指定したセレクター（＝パラメーター）を持つ要素を取得してね（＝メソッド）」という意味になります。

なお、ここで指定するセレクターとは、CSSで記述する書き方と同じです。例えば今回のようにID名を指定する場合は「#ID名」、クラス名を指定するなら「.クラス名」となります。

前節で作成したconsole.logのコードを元にして実際に書いてみましょう。

変更前 [JS] js/script.js

```
console.log('準備完了!');
```

「'準備完了!'」としていた「console.log()」のパラメーターを、「document.querySelector('#colorPicker')」に書き換えます。オブジェクトやメソッドは文字列ではないので、「console.log()」のカッコの中をシングルクォーテーションで囲む必要はありません。

変更後 [JS] js/script.js

```
console.log(document.querySelector('#colorPicker'));
```

書き換えた

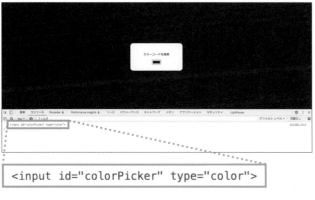

<input id="colorPicker" type="color">

コンソールで「<input id="colorPicker" type="color">」と表示されれば無事要素を取得しています。

✅ POINT

JavaScriptでは大文字や小文字、スペースなど、1文字でも間違いがあれば動作しません。「querySelector」の「S」は大文字になっているので注意しましょう。

■ もしnullと表示されたら？

コンソールで確認すると、「null」と表示されることもあります。原因を見てみましょう。

[JS] 記述例

```
console.log(document.querySelector('#colorpicker'));
```

と記述すると、コンソールに「null」と表示されてしまいました。「null」は「何もない」を表す言葉で、「そんなIDないよ」という意味です。何が間違いだったかわかりますか？　正しいID名は「colorpicker」ではなく「colorPicker」になります。このように正しく書いたつもりでもエラーとなった場合は、スペルや大文字・小文字にミスがないかチェックしましょう。

コンソールに「null」が表示された

▨ 値を取得する

実際に取得したいのはカラーピッカーのタグではなく、その値であるカラーコードです。値は取得した要素の最後に「.value」を繋げるだけで取得できます。

js/script.js

```
console.log(document.querySelector('#colorPicker').value);
```
追加した

保存してコンソールで見てみると、カラーコードが表示されています。

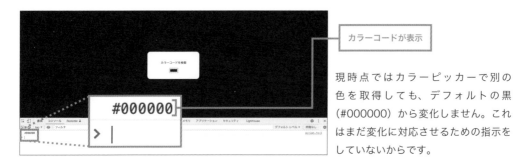

カラーコードが表示

現時点ではカラーピッカーで別の色を取得しても、デフォルトの黒（#000000）から変化しません。これはまだ変化に対応させるための指示をしていないからです。

なお、HTMLファイル内でinput要素にvalue属性が指定されている場合は、それが値としてコンソールに表示されます。試しに\<input>タグに「value="#00bbdd"」を追加して、色の初期値を「#00bbdd」に指定してみましょう。

ColorPicker/index.html

```
<input id="colorPicker" type="color" value="#00bbdd">
```
追加した

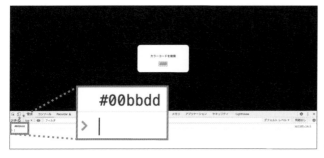

すると、コンソールに「#00bbdd」と表示されました。

今回はデフォルトの黒のままで進めたいので、試しで書いた「value="#00bbdd"」は削除して元に戻しておきましょう。

058 | CHAPTER 3 JavaScriptの基本を学ぼう！

COLUMN

—

コメントアウトの書き方

　コードを書いているとき、そのコードが何を表しているのか、適度にメモを残しておくといいでしょう。JavaScriptでは「//」と書くと、それ以降の行末までコメントアウトされます。

JS 記述例

```
// 1行コメントアウト ┐                         ┌ 「//」を書いてコメントアウトした
alert('はじめてのJavaScript！');
```

複数行のコメントを入れたい場合は、「/*」からはじめ、「*/」で終了します。

JS 記述例

```
/*
複数行のコメントアウト
この範囲は動作に影響しません          ┐  「/*」から「*/」までコメントアウトした
*/
alert('はじめてのJavaScript！');
```

　コメントアウトした文字はプログラムの動作に影響しなくなります。メモ代わりの他にも、一時的に一部のコードを動作しないようにして別の箇所の動作確認に使ったりします。

　コメントアウトを上手に使い、他の人や未来の自分が読んでもプログラムの内容がわかるようなコーディングを目指しましょう。

3-4
CHAPTER

テキストを変更しよう

前節で取得したカラーコードをWebページ上に表示します。まずはJavaScript
からの指示の仕方や、HTML上のテキストを変更する方法を覚えておきましょう。

▊ JavaScriptから文字を表示させる方法

▶ サンプルデータ
chapter3/04-demo

HTMLでは単純に文字を入力すれば、記述した場所にその文字が表示されます。現在\<p>
タグを使って「カラーコードを検索」と表示させている部分がこの表示になります。しかし
JavaScriptでは、どこにどんなテキストを表示させたいのかを明確に指示する必要があります。
考え方としては、新たにテキストを加えるというよりも、今表示させているテキストを書き換え
ると言った方が近いでしょう。

▨ 「どこの」「何を」「どう変えたいのか」を指定する

JavaScriptで「どこの」「何を」「どう変えたいのか」を書いていきます。今回実装したいこ
とを整理しておくと、

❶「カラーコードを検索」と書かれている部分の
❷ テキストを
❸「カラーコード：」に変える

という3本立てになっています。1つひとつ確認しながら、script.jsファイルに書いていきま
しょう。

❶「どこの」を指定する

まず、「どこの」の部分ですが、「カラーコードを検索」と表示されている部分はHTMLファ
イルの「colorText」というIDのついた\<p>タグです。

🔲 HTML ColorPicker/index.html

```
<p id="colorText">カラーコードを検索</p>
```

前節であった通り document オブジェクトと、querySelector() メソッドを使って ID 名「colorText」を指定しましょう。

📄 ColorPicker/js/script.js

```
console.log(document.querySelector('#colorPicker').value);
document.querySelector('#colorText')
```
> 追加した

これで「どこの」の指定は完了です。

❷「何を」を指定する

続いて「何を」の部分です。「テキストを変えたい」は textContent を、ピリオド「.」でつなげることで指定できます。「C」のみ大文字になる点に注意しましょう。

📄 ColorPicker/js/script.js

```
document.querySelector('#colorText').textContent
```
> textContent を「.」でつなぐ

❸「どう変えたいのか」を指定する

最後に「どう変えたいのか」の部分を追加します。textContent のあとにイコール「=」を書き、変更したいテキストを「'（シングルクォーテーション）」で囲んで指定しましょう。行の最後には「;（セミコロン）」をつけて完了です。

📄 ColorPicker/js/script.js

```
document.querySelector('#colorText').textContent = 'カラーコード：';
```
> 指定した

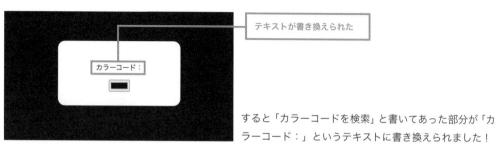

テキストが書き換えられた

すると「カラーコードを検索」と書いてあった部分が「カラーコード：」というテキストに書き換えられました！

ここで注目したいのが、JavaScript における「=」の扱いです。算数や数学では「=」は「等しい値」と習ってきたかと思いますが、JavaScript では代入するという意味になります。「=」より右側のものを、「=」より左側のものに入れておく、「置き換える」ということです。

代入する

```
document.querySelector('#colorText').textContent = 'カラーコード：';
```

HTMLページ　　　ID「colorText」の要素　　　要素内のテキスト　　文字列「カラーコード：」

　これで、HTMLページから「colorText」というIDの要素を探し出し、そのテキストに「カラーコード：」という文字列を入れる、という指示ができました。

HTMLタグは無視される

　注意点として覚えておいて欲しいのが、textContentで変更できるのは純粋に文字列の部分のみということです。HTMLのタグを含めても、タグも文字列として表示されます。

[JS] 例

```
document.querySelector('#colorText').textContent = '<h1>カラーコード：</h1>';
```

<h1>タグを入れた

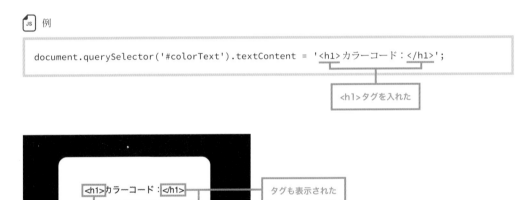

タグも表示された

<h1>タグもWebページ上に表示されてしまいました。

　タグは表示させたくないので、元に戻しておきましょう。

● POINT

HTMLタグも含めたいならtextContentの代わりにinnerHTMLが使えます。今回の例の場合は、document.querySelector('#colorText').innerHTML = '<h1>カラーコード：</h1>'; と記述すれば、「カラーコード：」を<h1>タグを使って表示できます。

3-5

CHAPTER

DOMを理解しよう

JavaScriptを使うことで表示されているWebページを後から変更することができます。この仕組みを理解しておき、DOMについて学んでいきましょう。ここでは図などを用いてなるべく簡単にお伝えしていきます。

▉ DOMとは？

　ブラウザーがHTMLを読み込むと、内部ではデータ構造が作成され、その内容に応じてページが描画されていきます。このデータ構造のことを**DOM**（ドム）と言います。DOMは「Document Object Model（ドキュメントオブジェクトモデル）」の略で、HTMLを組織図のようなツリー状に分解し、HTMLとJavaScriptのようなプログラミング言語を接続しています。

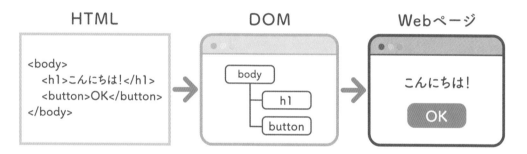

　例えば、料理は複数の材料を組み合わせていることが多いですよね。プリンもカラメルとカスタードを組み合わせていて、さらにカラメルとカスタードもまた複数の材料で作られています。DOMは料理のレシピと、完成したプリンの間にある、成り立ちをまとめた構造図と似ているかと思います。

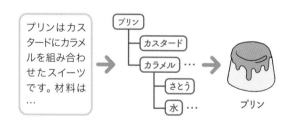

▶ DOMは操作できる

　DOMはJavaScriptでWebページ上の表示を操作するために存在します。前節ではすでに用意されていたテキストをJavaScriptを使って別のテキストに書き換えました。これはHTMLファイルそのものを書き換えたわけではなく、その間にあるDOMを操作していたのです。テキストを変更するだけでなく、要素やスタイルを追加したり、削除するといったことも可能です。

DOMのツリー構造

DOMではHTML文書を階層構造で表現します。この階層構造は**DOMツリー**と呼ばれています。文書を1本の木に見立てて、枝分かれする様を表しています。DOMツリーのそれぞれの枝は**ノード**で構成されています。ノードとは日本語では「節」や「結び目」を意味します。HTMLでタグやエレメントなどと呼ばれる各要素そのもののことになります。このノードにJavaScriptからアクセスして操作をしています。

文章だけでは少しわかりづらいですね。下のコードと図を見ながら整理していきましょう。例えば、この章で作成しているカラーピッカーのHTMLファイルは、このような内容になっています。

📄 index.html

```html
<!DOCTYPE html>
<html lang="ja">
    <head>
        <meta charset="UTF-8">
        <meta name="viewport" content="width=device-width, initial-scale=1.0">
        <title>カラーピッカー </title>
        <link rel="stylesheet" href="css/style.css">
        <script src="js/script.js" defer></script>
    </head>
    <body>
        <div>
            <p id="colorText">カラーコードを検索</p>
            <input id="colorPicker" type="color">
        </div>
    </body>
</html>
```

この章で作成するDOMのツリー構造

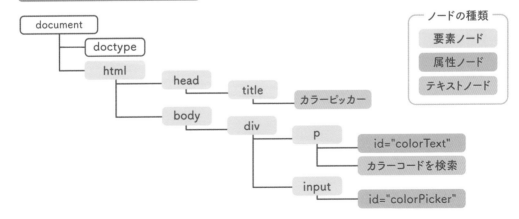

前ページの図でわかるように一番上にくるノードはdocumentノードです。その下にHTMLファイルに記述されているような階層でつながっています。ノードにはいくつかの種類があり、「要素ノード」「属性ノード」「テキストノード」などに分類されます。

ノードの種類	例
要素ノード	\<p id="colorText"\>カラーコードを検索\</p\>
属性ノード	id="colorText"
テキストノード	カラーコードを検索

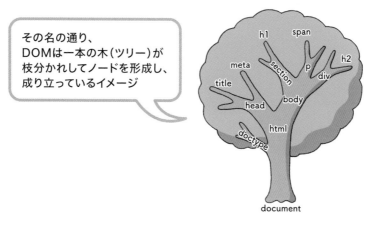

その名の通り、DOMは一本の木（ツリー）が枝分かれしてノードを形成し、成り立っているイメージ

ノードの親子関係

ノード同士の位置関係には、「親子」や「兄弟」などの用語を使うことがあります。例えば下図の場合、\<body\>の階層から見ると\<html\>はすぐ上の階層にあるので「親ノード」、\<div\>はすぐ下にあるので「子ノード」、同じ階層にある\<head\>は「兄弟ノード」と呼ばれます。DOM操作を行ううえで、こういった階層関係を使う場合もあるので、覚えておくといいでしょう。

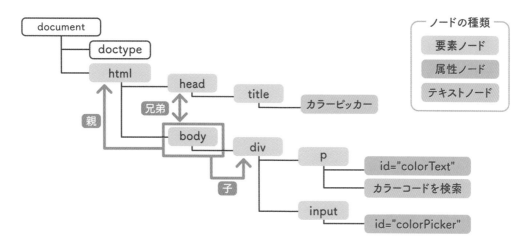

3-6

CHAPTER

テンプレート文字列で表示させよう

P.056「3-3　カラーピッカーの色の値を取得しよう」で取得できたカラーコードですが、コンソールに表示させるだけではあまり役には立ちません。カラーコードをテキストとしてページ内に表示させてみましょう。

カラーコードを表示させる

これまでは「console.log()」でコンソール内にカラーピッカーの値を表示させていましたが、次はID「colorText」のテキスト部分に値を表示させていきます。まずは「.textContent」で変更した文字の部分のクォーテーションを消し、コンソールで表示する指定をしていた「document.querySelector('#colorPicker').value」に変更してみましょう。

変更前 🗋 js/script.js

```
console.log(document.querySelector('#colorPicker').value);
document.querySelector('#colorText').textContent = 'カラーコード：';
```

変更後 🗋 js/script.js

```
console.log(document.querySelector('#colorPicker').value);
document.querySelector('#colorText').textContent = document.querySelector
('#colorPicker').value;
```

変更した

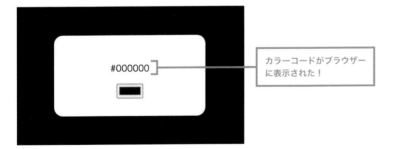

カラーコードがブラウザーに表示された！

ブラウザーにテキストとして表示ができたので、これまでコンソール用に記述していた「console.log(document.querySelector('#colorPicker').value);」の部分は削除して大丈夫です。

通常のテキストと取得した値を組み合わせる

カラーコードの表示に成功しましたが、本来は「カラーコード：#000000」のように、文字列と取得したカラーコードを組み合わせて表示したいです。そんなときはどのように書けばいいでしょうか？ ひとまずそのままくっつけて書いてみます。

📄 js/script.js

```
document.querySelector('#colorText').textContent = 'カラーコード：' document.querySelector
('#colorPicker').value;
```

ひとまずくっつけてみた

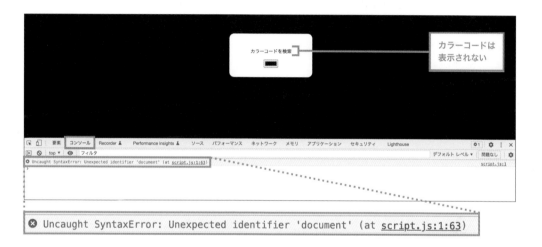

カラーコードは
表示されない

❌ Uncaught SyntaxError: Unexpected identifier 'document' (at script.js:1:63)

すると、カラーコードの文字列は表示されず、カラーコードも表示されなくなりました。コンソールを見ると「Uncaught SyntaxError」というエラーが表示されてしまいました。

「+」を使う書き方

通常のテキストと取得した値や式などのプログラミングコードを組み合わせる書き方は2種類あります。1つめは、それぞれを「+」記号でつなぎ合わせる方法です。

先ほどの例だと「'カラーコード：'」と、「document.querySelector('#colorPicker').value」の間に「+」を記述します。

📄 ColorPicker/js/script.js

```
document.querySelector('#colorText').textContent = 'カラーコード:' + document.querySelector
('#colorPicker').value;
```

記述した

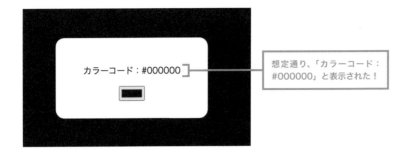

想定通り、「カラーコード：
#000000」と表示された！

　しかし、この方法だと連結させたい文字列や値が増えると可読性が下がります。さらに本当に足し算がしたくて「+」を使ったときに混乱しやすくなるデメリットもあります。

テンプレート文字列を使う書き方

　そこで採用されたのが**テンプレート文字列**という書き方です。テンプレートリテラルとも呼ばれます。書き方は、まず最終的に表示したい内容をすべて「`（バックティック、またはバッククォート）」で囲みます。

JS ColorPicker/js/script.js

```
document.querySelector('#colorText').textContent = `カラーコード:document.querySelector
('#colorPicker').value`;
```

バックティックで囲む

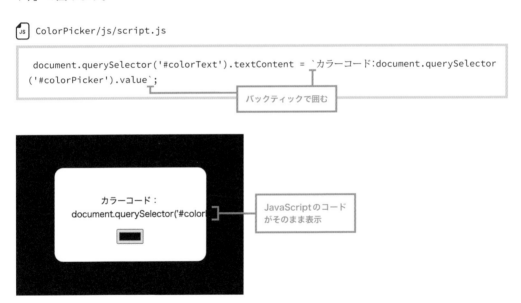

カラーコード：
document.querySelector('#color

JavaScriptのコード
がそのまま表示

　この段階で表示を確認すると、すべてが文字列として扱われて、JavaScriptのコードがそのまま表示されています。なので式や値、次節から登場する変数や定数など、文字列以外のコードは「${」と「}」で囲みます。

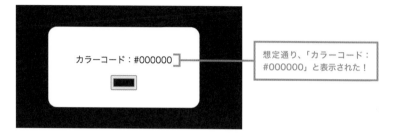

📄 ColorPicker/js/script.js

```js
document.querySelector('#colorText').textContent = `カラーコード:${document.querySelector
('#colorPicker').value}`;
```

追加した

カラーコード：#000000

想定通り、「カラーコード：
#000000」と表示された！

「+」でつなげたときよりも、テンプレート文字列の方が少し短く書けました。

「+」を使った場合は、文字列やコードをくっつけるイメージでしたが、テンプレート文字列では文字列の中にコードを挿入していくような書き方です。どちらでも同じく表示されますが、「+」を使った場合だとどうしてもクォーテーションや「+」が何度も出てきて入力しづらく、コードの見通しも悪くなってしまいます。本書ではテンプレート文字列を使って表示していきます。

COLUMN

—

気軽にJavaScriptを試せるオンラインツール②

プログラミングの学習は、とにかく書いて動きを確認することが上達への近道です。

P.030で紹介したCodePenと同様に、HTMLの欄には基本的に<body>タグの中の部分のみ記述します。

• JSFiddle

コードを実行するには、画面左上の［Run］ボタンをクリックします。画面右上の「Settings」からコード入力画面の細かい調整が可能です。有料版ではコードをグループ化して整理したり、コードを非公開にできます。

https://jsfiddle.net/

chapter1

chapter2

chapter3

chapter4

chapter5

chapter6

chapter7

chapter8

3-7 CHAPTER 定数でコードをスッキリまとめよう

まだカラーピッカーとしての機能は完成していませんが、少しずつコードが長くなってきました。何度も繰り返し使うようなコードは、最初の段階からまとめて整理しながら書き進めていきましょう。

定数とは

▶ サンプルデータ
chapter3/07-demo

プログラムを書き進めていくと、ときにはとても長い文字列や計算式、繰り返し使う値なども出てきます。必要とはいえ、何度も同じことを入力するのは面倒です。そこで役に立つのが**定数**になります。

定数はいろいろな文字列や数値、式などを入れておける箱のようなものです。そしてその箱には何が入っているのか、わかりやすいように名前のラベルを貼って（つまり**定数名**をつけて）管理したり使いまわしたりします。定数を使うことで、余計な記述ミスを防いだり、なんのコードを書いているのかわかりやすく整理することができます。

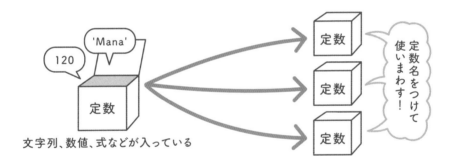

文字列、数値、式などが入っている

定数の基本の書き方

まずは「定数を使います」と宣言をします。宣言には「**const**」というキーワードのあとに、半角スペースを入力し、その後に定数名を書きます。定数名には後ほど紹介するルールがありますが、基本的には自分の好きなようにつけられます。定数名の後に「＝（イコール）」を使って、定数に入れる値を指定します。

JS 記述例

```
const 定数名 = 中に入れる値;
```

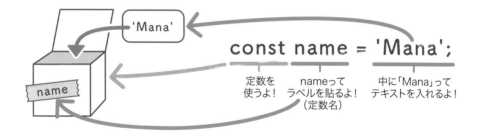

chapter1　chapter2

chapter3

chapter4

chapter5

chapter6

chapter7

chapter8

このとき使われる「=」は、等しいという意味ではなく、左側の定数に割り当てる、代入するという意味です。宣言された定数を使うときには「const」は必要ありません。定数名だけを指定すれば、中に入れた値を取り出して利用できるようになります。

　簡単な例を紹介しましょう。例えば「name」という定数に文字列を入れ、コンソールで表示する際は次のようなコードになります。

📄 記述例

```
const name = 'Mana';
console.log(name);
```

「name」という定数に「Mana」という文字列を入れている

コンソールで確認すると、定数「name」に入れておいた値である「Mana」が表示されました。

　それではカラーピッカーのコードも定数でまとめていきましょう。ここで作成するのは取得したID「colorText」とID「colorPicker」の2つの定数です。これをそれぞれ短い名前の箱に入れておくことで、今後コードを追加するときも見やすく、ミスも少なくできるでしょう。

　まずは定数の宣言です。「text」という定数には「document.querySelector('#colorText')」を代入、「color」という定数には「document.querySelector('#colorPicker')」を代入しました。

📄 ColorPicker/js/script.js

```
const text = document.querySelector('#colorText');
const color = document.querySelector('#colorPicker');
```

「text」、「color」の定数の宣言をした

そして利用したい箇所を下図のオレンジと黄緑のように書き換えます。

document.querySelector('#colorText').textContent =
　　　　　　　　　text
`カラーコード：${document.querySelector('#colorPicker').value}`;
　　　　　　　　　　　　color

すると、以下のように記述できます。

📄 ColorPicker/js/script.js

```
const text = document.querySelector('#colorText');
const color = document.querySelector('#colorPicker');

text.textContent = `カラーコード：${color.value}`;
```
定数に置き換えた

Webページ上での表示は変化ありません。しかし、コードはかなりすっきりと読みやすくなりました。

▧ 定数名を付けるときのルール

今回は簡単な英単語「text」「color」を定数名として利用しました。定数名は読みやすいコードにするためのルールを守った上で、何のデータが入っている定数なのかわかりやすい名前にするといいでしょう。

▶ 半角英数字、$、_ のみ使える

まず、定数名として使う文字は半角英数字、「$（ドルマーク）」、「_（アンダースコア）」で記述しましょう。数値で始めることはできません。また、CSSなどではよく「-（ハイフン）」を使って英単語をつなげますが、JavaScriptでは使えません。

良い例	悪い例
myColor	my-color
color1	1color

POINT

厳密には日本語も利用できますが、一般的には使われません。

chapter1

chapter2

chapter3

chapter4

chapter5

chapter6

chapter7

chapter8

POINT

例の「myColor」のように、2単語目以降の最初の文字を大文字にする書き方をキャメルケースと呼びます。JavaScriptではキャメルケースで記述することが多くあります。

スペースは使えない

定数の名前にスペースを入れることはできません。複数の単語をつなげたいときは、大文字にしたりアンダースコアを使いましょう。

良い例	悪い例
myColor	my color

予約語は使えない

予約語と呼ばれる、JavaScriptにおいて言語の仕様上設定されている特別な意味を持つキーワードは定数名として使えません。以下にまとめておきます。

- break
- case
- catch
- class
- const
- continue
- debugger
- default
- delete
- do
- else
- export
- extends
- finally
- for
- function
- if
- import
- in
- instanceof
- new
- return
- super
- switch
- this
- throw
- try
- typeof
- var
- void
- while
- with
- yield

 POINT

今後、予約語とされるキーワードもあります。事前に確認しておくといいでしょう。

●字句文法 - JavaScript | MDN

https://developer.mozilla.org/ja/docs/Web/JavaScript/Reference/Lexical_grammar#キーワード

3-8
CHAPTER

カラーコードを表示する 「きっかけ」を作ろう

ここまでのプログラムでは、Webページを表示したときにすぐ実行されていました。しかし、この章で作りたいプログラムは「カラーピッカーで色を選んだとき」に動作させたいわけです。その「きっかけ」を作っていきましょう。

■ きっかけとは？

ボタンをクリックしたとき、テキストボックスに入力したとき、ページをスクロールしたときなど、JavaScriptはユーザーの操作に応じて何らかの動作を引き起こす「きっかけ」を検知できます。この「きっかけ」のことを**イベント**と言います。イベントについて詳しくはP.092「4-1 イベントとは？」で解説します。ここではやさしくかみくだいて考えると「きっかけ」のことなのだなと覚えておくといいでしょう。

■ イベントの基本の書き方

イベントの設定には「addEventListener()」というメソッドを使います。最初にきっかけとなる要素を書いて、「.（ピリオド）」でつなぎ、addEventListener()を書きます。そのカッコの中にはイベントと、そのイベントが発生したら実行される動作内容を「,（カンマ）」で区切って書きます。

▶ 「何が」「どうなったら」「どうなるか」を指定する

つまり、「何が」「どうなったら」「どうなるか」をaddEventListener()メソッドで一緒に書いていくわけです。コードの式で表すと次のようになります。

📄 記述例

```
何が.addEventListener(どうなったら, どうなる);
```

今回実装したいことを整理しておくと、

❶ **(カラーピッカーで) 色が**
❷ **選択されたら**
❸ **カラーコードを表示する**

という3本立てになっています。記述例の式に実装したいことを当てはめると、

📄 ColorPicker/js/script.js

```
色が.addEventListener(選択されたら, カラーコードを表示する);
```

となりますね。1つずつscript.jsの一番下に書き足していきましょう。

❶「何が」を指定する

「きっかけ」となる要素はカラーピッカーです。前節で「color」という定数名をつけた部分ですね。

📄 ColorPicker/js/script.js

```
const color = document.querySelector('#colorPicker');
```

その定数名をそのまま指定してしまいましょう。

📄 ColorPicker/js/script.js

```
color.addEventListener(選択されたら, カラーコードを表示する);
```
〔colorの定数を指定した〕

❷「どうなったら」を指定する

　少し紛らわしいのですが、今回使用しているカラーピッカーは<input>タグを使った色の入力欄です。クリックすることで色を選択できるのですが、仕様上は入力している値になります。そこでイベントの「どうなったら」の部分にはイベント名として「'input'」と記述しましょう。

　なお、このイベント名は文字列として扱うので、シングルクォーテーションで囲っておく必要があります。

📄 ColorPicker/js/script.js

```
color.addEventListener('input', カラーコードを表示する);
```
〔「'input'」と指定した〕

✔ POINT

今回はたまたまタグ名の「input」とイベント名がかぶっていますが、タグ名を記述するわけではありませんのでご注意ください。イベントの種類はP.092「4-1　イベントとは？」で詳しく紹介します。

❸「どうなるか」を指定する

　最後に、この入力のイベントが起きたときの処理を「,（カンマ）」に続けて書きます。「どうなるか」という処理の内容はあとでまとめるとして、一旦「colorBg」という名前にして書いておきましょう。「colorBgという処理を実行してね」という意味です。こちらはシングルクォーテーションで囲う必要はありません。

📄 ColorPicker/js/script.js

```
color.addEventListener('input', colorBg);
```
「colorBg」と指定した

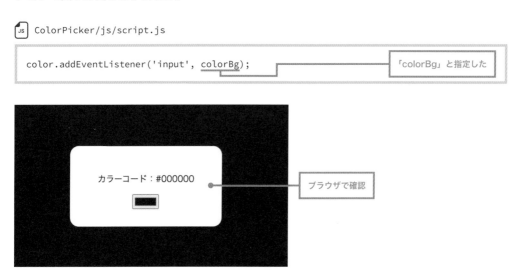

ブラウザで確認

　この段階ではまだ動作内容を指定しておらず、動作の名前を用意しただけなので変化はありません。ただ、コンソールを見てみると、「Uncaught ReferenceError: colorBg is not defined」というエラーが出ているのがわかります。これは「colorBgを発動してねと言ってるけれど、colorBgなんて用意されていないよ？」というエラーです。

コンソールのエラー内容

　次節から「colorBg」の動作内容を書いていきましょう。

3-9
CHAPTER

関数で選んだ色を取得しよう

前節で作ったイベントを、実際に動作する内容としてまとめていきましょう。ここでは関数の基本と実装方法を学んでいきます。

▌ 関数とは

▶ サンプルデータ
chapter3/09-demo

　プログラムを書いていると、「同じような処理を好きな場所で実行したい」「何かをきっかけにして実行したい」という場面がよくあります。このような処理をひとまとめにしたものを**関数**と呼びます。関数は一連の動作に名前をつけて、発動させたいときに呼び出して利用します。

▶ 関数の例

　もしかすると「処理をひとまとめにする」というのが少し想像しづらいかもしれません。そこで洗濯機を例に考えてみましょう。昨今の洗濯機では「洗う」→「すすぐ」→「脱水」という動作が1つの「洗濯」ボタンで完了します。この「洗濯」ボタンが関数と言えます。もしひとまとめになっていない場合は、「洗う」ボタンを押して、洗い終わったら「すすぐ」ボタンを押し、すすぎが終わったら「脱水」ボタンを押して…と、1つずつ作業しないといけなくなります。

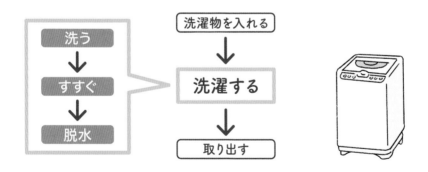

１つのボタンで完了する「洗濯」ボタンは関数と言える

　処理を関数としてまとめておけば、呼び出すだけ（上記の例だとボタンを押すだけ）で実行できます。また、単一の処理であったり、繰り返しをしない処理であったとしても、関数を使えばコード全体がシンプルになり、読みやすくなるでしょう。あとから見返したり、他の人がコードを見ても何が行われているのか理解しやすくなります。

関数の基本の書き方

まず最初にひとまとまりにする動作に名前をつけます。この名前を**関数名**と言います。関数名はP.070「3-7　定数でコードをスッキリまとめよう」と同じく、「const」を使った定数の書き方で指定します。関数名のあとの「=（イコール）」に続いて、「( )（丸カッコ）」を書きます。この丸カッコは必ず必要なので忘れないようにしましょう。

さらにそのあとにイコールと大なり記号を組み合わせた「=>」を書きます。この部分が矢印のように見えることから、**アロー関数**と呼ばれています。そのあとに続く「{ }（波カッコ）」の中には、関数名が呼び出されたときに何をするかという内容を指定します。この一連の流れを**関数を定義する**と言います。

記述例

```
const 関数名 = () => {
    // ここに実行する内容を書く
};
```

関数を定義する

functionを使った書き方

別の方法で関数を定義することも可能です。「function」というキーワードを使うことから、前述のアロー関数と区別するために**function構文**などと呼ばれています。こちらの書き方は「function」のあとに関数名と丸カッコを書き、波カッコの中に必要な処理内容を指定します。

記述例

```
function 関数名() {
    // ここに実行する内容を書く
}
```

歴史的に見ると、この「function」を使った関数の書き方のほうが古く、アロー関数は新しい書き方です。厳密には細かい機能の違いがありますが、アロー関数は関数を定義・利用する上で最低限の機能をもったシンプルな書き方なので、特に理由がない場合はアロー関数を使うといいでしょう。本書ではアロー関数を使って記述していきます。

カラーピッカー用の関数を作ろう

関数の基本的な書き方がわかったところで、今回のカラーピッカー用の関数を作ってみましょう。今までの作業では「colorBg」という名前を付けていました。これが関数名になります。

今は関数名のみ用意している状態なので、その関数を使うと何が起こるのかを指定していきます。とは言え、発動させたい機能自体はすでに用意しています。

ここでは「カラーコード：」というテキストに続いて、選択した色のカラーコードを表示させたいだけなので、「text.textContent = `カラーコード：${color.value}`;」の部分を関数として定義すればいいのです。「const colorBg = () => {」と「}」で囲んであげれば完成です。

変更前 `js` js/script.js

```javascript
const text = document.querySelector('#colorText');
const color = document.querySelector('#colorPicker');

text.textContent = `カラーコード：${color.value}`;

// カラーピッカーが変更されたら colorBg を発動させる
color.addEventListener('input', colorBg);
```

変更後 `js` js/script.js

```javascript
const text = document.querySelector('#colorText');
const color = document.querySelector('#colorPicker');

const colorBg = () => {
  text.textContent = `カラーコード：${color.value}`;
};                                          ← 関数として定義した

// カラーピッカーが変更されたら colorBg を発動させる
color.addEventListener('input', colorBg);
```

```javascript
const text = document.querySelector('#colorText');
const color = document.querySelector('#colorPicker');

const colorBg = () => {          ← 関数名
  text.textContent = `カラーコード：${color.value}`;      ← この関数を発動！
};

color.addEventListener('input', colorBg);
```
カラーピッカーを　　　　入力したら　発動

　これで、カラーピッカーを入力したら（＝色を選択したら）、colorBg関数を発動させる（＝カラーコードをテキストで表示する）という動作が実装できました！

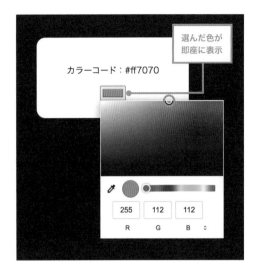
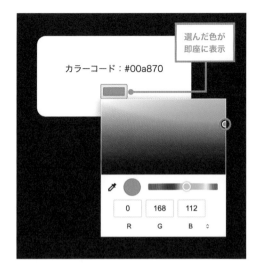

カラーピッカーで選んだ色のカラーコードが、即座に表示されました。

関数名を指定せず、そのまま処理を書いてもOK

▶ サンプルデータ
chapter3/09-demo2

上記の例ではあらかじめ関数を定義してから、「addEventListener()」に関数名を渡していましたが、実は関数の式そのものを直接指定することも可能です。この書き方の関数を**無名関数**と言います。イベント名の後にカンマで区切り、丸カッコ以降の指示を記述します。

JS 記述例

```
const text = document.querySelector('#colorText');
const color = document.querySelector('#colorPicker');

// カラーピッカーが変更されたら、カラーコードを表示
color.addEventListener('input', () => {
  text.textContent = `カラーコード：${color.value}`;
});
```

無名関数を利用

無名関数を使うメリットは、関数を事前に定義する必要も、関数の名前をつける必要もないことになります。

今回のような短い処理なら関数を定義した書き方も無名関数の書き方もどちらでも大きな差はないでしょう。ただ、関数の処理が複雑になるとコードが読みづらくなってきます。そんなときはあらかじめ関数を定義しておくといいでしょう。

COLUMN

—

関数はパラメーターも設定できる

この章ではイベントと組み合わせた関数の使い方を紹介していますが、関数はイベントがなくても利用できます。またカッコの中にデータを入れて使い回せます。便利な使い方を紹介しますので、ぜひ覚えておきましょう。

関数を呼び出す

カラーピッカーの例ではイベントと組み合わせましたが、単純に「関数名();」とすれば呼び出せます。呼び出すときは必ず丸カッコも必要になります。

🔲 index.html 内

```
const message = () => {
  console.log('こんにちは！');
};
message();
```

コンソールで確認すると、関数で定義した通り表示されました。

⟲ ⧉	要素	コンソール	Recorder ⚖
▶ ⃠ top ▼ ⊙ フィルタ			
こんにちは！			
>			

パラメーターを使う

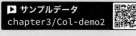

前述の例ではコンソールに「こんにちは！」としか表示されません。なんだかそっけないですね。そこで名前も一緒に表示できるよう改良してみましょう。

なんのためにあるのかよくわからなかったこの丸カッコの中には、パラメーターを記述することができます。パラメーターはP.038「2-4　JavaScriptを書くときの基本ルール」で出てきました。これにより、関数の中で受け取ったデータを処理の中に組み込めます。

ここではパラメーターに「name」を設定し、呼び出すときはカッコの中に名前の文字列を書いてみましょう。

```
const message = (name) => {
  console.log(`${name}さん、こんにちは！`);
};
message('Mana');
message('達也');
```

コンソールで確認すると、名前と一緒に指定した文字列が表示されました。

　このように渡すデータに応じて処理ができるため、関数をより柔軟に利用できるようになります。なお、関数に渡す値を**引数**と言いますが、その中でも関数を定義するときのものは**仮引数**、実際に関数を呼び出すときに渡されるデータは**実引数**と呼びます。

カンマで区切って複数のデータを利用できる

▶ サンプルデータ
chapter3/Col-demo3

　また、パラメーターは「,（カンマ）」で区切って複数設定できます。関数を定義する際の丸カッコの中、また呼び出すときの丸カッコの中に順番通り記述していきます。これを指定した順に第一引数、第二引数…と呼びます。

```
const message = (name, weather) => {
  console.log(`${name}さん、こんにちは！今日は${weather}です。`);
}
message('Mana', 'いい天気');
```

第一引数に名前、第二引数に天気が指定され、コンソールに表示されました。

```
⌕  ⧉  | 要素   コンソール   Recorder ⏺
▶  ⊘  | top ▼  | ◉  | フィルタ
   Manaさん、こんにちは！今日はいい天気です。
>  |
```

処理の結果を受け取る

▶ サンプルデータ
chapter3/Col-demo4

これまで作ってきた例だと、関数の中で「console.log()」を使っており、何をする
かの指示がありました。そうではなく、関数では処理の結果だけ出したい、その結果
の使い道は後から指定したいという場合には「return」を使って、呼び出し元に結果
を渡せるようになります。この値を**戻り値**と言います。

```js
const message = (name, weather) => {
  return `${name}さん、こんにちは！今日は${weather}です。`;
};
console.log(message('Mana', 'いい天気'));
alert(message('達也', '雨'));
```

この例では、受け取った実引数を使って「〇〇さん、こんにちは！今日は△△です。」
という文字列は作成され、「return」を使って結果が返されますが、それをどのよう
に表示するかは関数の中では指定されていません。関数を呼び出すときに「console.
log()」や「alert()」と一緒に指定してみると、コンソールと警告ダイアログ、両方に
表示されるようになります。

関数の中で処理を終わらせるなら、「return」を使う必要はありません。関数の中で
処理をした結果をどう利用したいかで「return」を使うかどうか考えるといいでしょ
う。また、関数の中で「return」と書くと、それ以降の処理は実行されないので注意
しましょう。

3-10
CHAPTER

ページの背景色を変えてみよう

カラーピッカーで選択したカラーコードを取得できるようになりました。
次はこのカラーコードを使ってページの背景色を変えてみましょう。

▌JavaScriptでスタイルを指定する

基本的にDOMにはHTMLタグの属性と同じ名前のプロパティが用意されています。そのため要素を「style」でつないでCSSのプロパティ名を指定すれば、スタイルを変更できます。JavaScriptから直接任意の要素のスタイルを変更することができるのです。

JS 記述例

```
要素.style.CSSのプロパティ名 = 値;
```

値が文字列の場合は、必ずクォーテーションで囲む必要があります。値が数字だけの場合はクォーテーションは不要です。ただし、「px」や「%」などの単位があるときは文字列として扱われます。

CSSのプロパティ名に「-(ハイフン)」が含まれている場合は、ハイフンを消して、2単語目以降の最初の文字を大文字に変更して指定します(この書き方をキャメルケースと呼びます。P.073右上のPOINT参照)。例えば「font-size」は「fontSize」と記述します。

JS 記述例

```
document.querySelector('#text').style.fontSize = '3rem';
```
キャメルケースの例

この方法で設定したスタイルは、インラインスタイルと同じ扱いになります。ChromeのデベロッパーツールでHTML要素を確認すると、HTMLにstyle属性として指定されているのがわかります。

■ カラーピッカーで選んだ色を背景に反映させよう

目指す所としてはカラーピッカーで色を選んだときに、カラーコードを表示させるだけでなく、背景色も同時に選択した色に変更することです。P.077「3-9　関数で選んだ色を取得しよう」で作成した「colorBg」関数の中にスタイルを変更する指示も追加します。

今回対象となる要素はbodyなので、「document.body」の背景色を変更します。「background-color」というCSSプロパティは、ハイフンを取って「C」を大文字にし、「backgroundColor」と指定しましょう。値はカラーピッカーで指定した値を適用させるので、「color.value」とします。

 ColorPicker/js/script.js

```js
const text = document.querySelector('#colorText');
const color = document.querySelector('#colorPicker');

// カラーピッカーを操作したときの一連の動作
const colorBg = () => {
  // 選択した色を背景色に設定
  document.body.style.backgroundColor = color.value;            記述した

  // カラーコードを表示
  text.textContent = `カラーコード：${color.value}`;            ハイフンを取って「C」を大文字にした
};

// カラーピッカーが変更されたら colorBg を発動させる
color.addEventListener('input', colorBg);
```

これで選んだ色がそのまま背景色として表示されるようになります。他にもいろいろなCSSプロパティを変更して試してみてください。

カラーコード: #ee9696

選んだ色が背景色になる

カラーコード: #0097bd

選んだ色が背景色になる

3-11
CHAPTER

条件をつけて色の名前を表示させよう

前節まででカラーピッカーから背景色を変更するプログラムは完成なのですが、もう少し JavaScript を理解するために、いくつかの条件をつけてみましょう。

条件分岐とは

値の内容によって、実行するプログラムを変えたいという場合もあります。これを**条件分岐**と言います。JavaScript では「if」という構文を使って条件をつけ、「条件にあてはまるなら〇〇を、当てはまらないなら△△の処理を行う」という設定ができます。この構文は**if文**と呼ばれます。書き方の確認をしていきましょう。

if文の基本の書き方

▶ サンプルデータ
chapter3/11-demo1

if は英語で「もし〜なら」を意味します。JavaScript では条件を与えて「もしこの条件を満たすなら」という意味で使われます。書き方は、「if」のあとの丸カッコの中に条件を式で入れて、条件に当てはまるかどうかをその場でチェックします。また、このチェックすることを**評価する**と言います。そしてその条件に当てはまったら、波カッコの中の処理が実行されます。

JS 記述例

```
if(条件){
    // 条件を満たしたときの処理
}
```

( ) の中に条件を入れる

条件を満たすなら { } の中の処理を実行

この「{ }（波カッコ）」で囲った部分を**ブロック**と呼びます。このブロックの中は何行でも処理を書けますが、ブロックの範囲をわかりやすくするために、インデントで字下げするのが一般的です。また、命令文の終わりには「;（セミコロン）」を付けるルールでしたが、ここで使う「{ }」は命令文ではなく範囲を表す記号です。セミコロンは書かない点に注意しましょう。

それではカラーピッカーのコードにもif文を加えてみましょう。もし白（#ffffff）を選んだ場合、カラーコードのあとに「(white)」と、色の名前も一緒に表示してみます。丸カッコの中の条件には「選んだ色の値が#ffffffと等しい場合」を表したいですね。

「等しい」はイコール３つの「===」で記述するので、「選んだ色の値 === '#ffffff'」となります。選んだ色の値は「color.value」で取得できたので、「color.value === '#ffffff'」と書けばOKです。

変更前 🟨 js/script.js

```js
const text = document.querySelector('#colorText');
const color = document.querySelector('#colorPicker');

// カラーピッカーを操作したときの一連の動作
const colorBg = () => {
  // 選択した色を背景色に設定
  document.body.style.backgroundColor = color.value;

  // カラーコードを表示
  text.textContent = `カラーコード：${color.value}`;
};

// カラーピッカーが変更されたら colorBg を発動させる
color.addEventListener('input', colorBg);
```

変更後 🟨 js/script.js

```js
const text = document.querySelector('#colorText');
const color = document.querySelector('#colorPicker');

// カラーピッカーを操作したときの一連の動作
const colorBg = () => {
  // 選択した色を背景色に設定
  document.body.style.backgroundColor = color.value;

  // カラーコードを表示
  if (color.value === '#ffffff') {
    text.textContent = `カラーコード: ${color.value} (white)`;
  }
};

// カラーピッカーが変更されたら colorBg を発動させる
color.addEventListener('input', colorBg);
```

if文を追加した

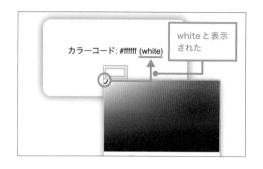
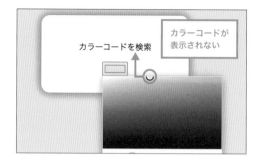

　これで白（#ffffff）を選んだら「(white)」も一緒に表示されました！ しかし、白以外の色を選んだとき、背景色は変わるものの、カラーコードが表示されなくなってしまいました。これはif文で設定された条件を満たす場合のみ処理を指定しているからです。

■ 条件に当てはまらない場合（else）

　白以外の色を選択した場合、つまり条件に当てはまらなかった場合の処理も指定しましょう。先ほどのif文に続けて「else（エルス）」と書き、波カッコで処理の内容を書きます。if文の場合は条件が必要なので丸カッコを書きましたが、「else」では条件そのものを書く必要はありません。「if文の条件を満たさないことが条件」とも言えます。この構文をelse文と言います。

📄 記述例

```
if( 条件 ){
    // 条件を満たしたときの処理
} else {
    // 条件を満たしていないときの処理
}
```

elseと書き、{ }の中に処理の内容を書く

　このelse文は必須ではありませんが、else文がなかった場合、条件を満たさないときには処理は何も実行されません。

　それでは選んだ色が白以外の場合は、カラーコードのみを表示させるようにelseを加えていきましょう。

📄 ColorPicker/js/script.js

```
（・・・以上省略・・・）

if (color.value === '#ffffff') {
  text.textContent = `カラーコード: ${color.value} (white)`;
} else {
  text.textContent = `カラーコード: ${color.value}`;
}

（・・・以下省略・・・）
```

白以外の場合の指定を追加

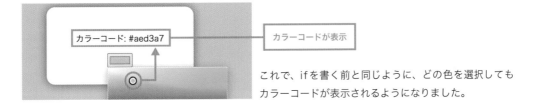

カラーコード: #aed3a7

カラーコードが表示

これで、ifを書く前と同じように、どの色を選択しても
カラーコードが表示されるようになりました。

■ 別の条件を加える場合（else if）

▶ サンプルデータ
chapter3/ColorPicker

「if」と「else」を使うと、当てはまるかどうかの2択となりますが、他にも条件をつけたい
ときは「else if（エルスイフ）」という構文を使います。if文と同様に、丸カッコの中に別の条
件を記述します。記述する場所は「if」と「else」の間です。記述するときに「elseif」と書い
てしまうとエラーになるので、必ず「else」と「if」の間に半角スペースを入れて書きましょう。

「else if」は何個でも追加できるので、条件が複数ある場合はその都度下に追加していきます。
ただし、プログラミングは上から順に評価していきます。もし条件1に当てはまる場合、そのブ
ロックに書かれた処理がすぐに行われて、条件2以降に当てはまるかどうかは評価しません。条
件1にも条件2にも当てはまる場合は、条件1で書いた処理のみ実行されます。

📄 記述例

```
if(条件1){
    // 条件1を満たしたときの処理
} else if(条件2) {
    // 条件1は満たしていないが、条件2を満たしたときの処理
} else if(条件3) {
    // 条件1も条件2も満たしていないが、条件3を満たしたときの処理

・・・必要なだけ追加可能・・・

} else {
    // どの条件も満たしていないときの処理
}
```

else ifは何個でも
追加できる

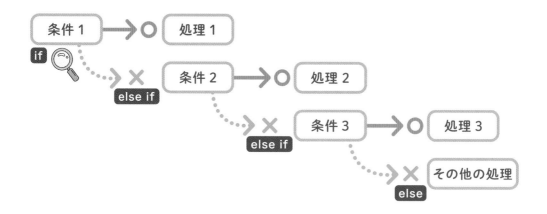

　それでは、もし黒（#000000）を選んだ場合、カラーコードのあとに「(black)」と、色の名前も一緒に表示してみます。if文の終わりの「}」のあとに「else if」と書き、丸カッコの中にはif文のときと同じように、「選択した色の値（color.value）が、黒（'#000000'）と等しい（===）なら」という条件を記述します。

📄 ColorPicker/js/script.js

```
（・・・以上省略・・・）

if (color.value === '#ffffff') {
  text.textContent = `カラーコード: ${color.value} (white)`;
} else if (color.value === '#000000') {
  text.textContent = `カラーコード: ${color.value} (black)`;
} else {
  text.textContent = `カラーコード: ${color.value}`;
}

（・・・以下省略・・・）
```

else ifの構文を追加した

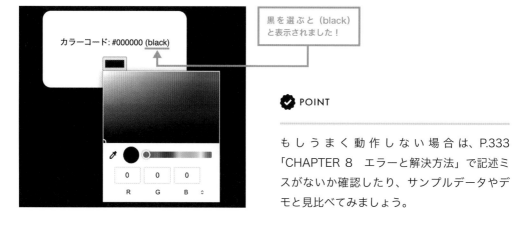

黒を選ぶと (black)
と表示されました！

🏅 POINT

もしうまく動作しない場合は、P.333「CHAPTER 8　エラーと解決方法」で記述ミスがないか確認したり、サンプルデータやデモと見比べてみましょう。

CHAPTER 4

—

イベントで操作しよう！

CHAPTER 3ではユーザーの操作によって何かを動か
す「きっかけ」となるイベントを利用しました。Web
サイトにはさらに様々なイベントがあります。この章
ではよく見かけるイベントを使って、さらに理解を深
めます。

Introduction | Getting Started | Basic | Event | Data | Animation | Website | Troubleshooting

4-1

CHAPTER

イベントとは？

P.074「3-8　カラーコードで表示する『きっかけ』を作ろう」で紹介したように、イベントはユーザーの操作に応じて動作を起こすきっかけのことでした。イベントについて、この章でもう少し詳しく見ていきましょう。

▨ イベントの仕組み

　ブラウザーではリンクやボタンをクリックしたり、キーボードを操作したり、スクロールしたとき、ページを読み込んだときなど、様々なタイミングでイベントが発生します。CHAPTER 3で利用した「input」もそうしたイベントの1つです。JavaScriptにはあらかじめ用意しておいた処理をイベントが発生したタイミングで呼び出す仕組みが備わっています。ひとつずつ見ていきましょう。

❶処理の登録をする

　「何が」「どうなったら」「どうなるか」を指定しておきます。例えば「ボタン（btn）がクリックされたらメッセージを表示する（message）」と登録したとしましょう。この「メッセージを表示する」という動作はすぐに実行されるのではなく、予約されているイメージと言えます。

 例

```
btn.addEventListener('click', message);
```

| ボタンが | クリックされたら | メッセージを表示する |

❷ブラウザーがイベントの発生を監視する

　ブラウザーは常にイベントが発生しないか監視しています。

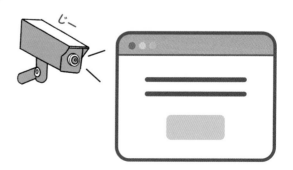

❸イベントの発生を検知する

イベントが発生したら、ブラウザーが「イベント発生！クリックされました！」とプログラムに通知します。この例だとボタンがクリックされたことが検知されたら、プログラムに通知することになります。

❹処理を呼び出す

❶であらかじめ登録しておいた処理が呼び出され実行されます。

■ よく利用されるイベントの種類

イベントにはさまざまな種類があります。毎日何気なく行っている操作にも、いろいろなイベントが発生しているのですね。ここではよく利用されるイベントを紹介します。

イベント名	発生するタイミング
load	スタイルシートや画像など、すべてのリソースの読み込みが完了したとき
submit	フォームが送信されるとき
reset	フォームがリセットされるとき
resize	画面のサイズが変わったとき
scroll	画面がスクロールされたとき
copy	コピーされたとき
paste	ペーストされたとき
keydown	キーが押されたとき
keyup	キーが離されたとき
click	クリックされたとき

イベント名	発生するタイミング
dbclick	ダブルクリックされたとき
mousedown	マウスのボタンが押されたとき
mouseup	マウスのボタンが離れたとき
mouseover	マウスカーソルが重なったとき
mouseout	マウスカーソルが離れたとき
select	テキストを選択したとき
focus	要素にフォーカスされたとき
blur	要素のフォーカスがはずれたとき
input	入力されたとき
change	変化があったとき

4-2
CHAPTER

ローディング中の画面を作ろう

読み込みに時間がかかるページを開く際、正常に表示されるまでの時間を埋めるためローディング中の画面を表示することがあります。ここではローディングのコードをみていきましょう。

作成するWebページの紹介

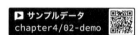
▶ サンプルデータ
chapter4/02-demo

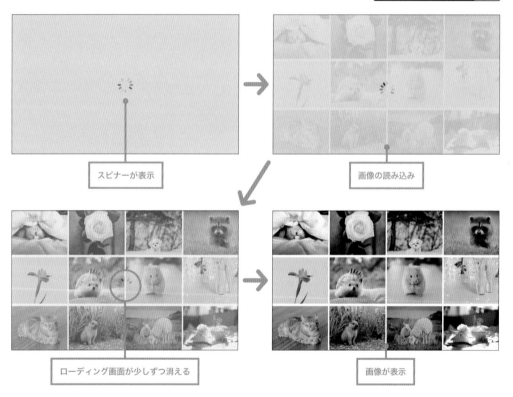

スピナーが表示

画像の読み込み

ローディング画面が少しずつ消える

画像が表示

　Webページを開くと、まずくるくると回るスピナー（ロード中にくるくる動く画像）が表示されます。画像の読み込みが完了したら、ローディング画面が少しずつ消え、画像が表示されるようになります。

✓ POINT

右ページのコードには各ブラウザーでの表示を統一させるためのリセットCSSに「ress.css」(https://github.com/filipelinhares/ress) を読み込ませています。

■ 完成コード

 index.html

```html
<!DOCTYPE html>
<html lang="ja">
<head>
    <meta charset="UTF-8">
    <meta name="viewport" content="width=device-width, initial-scale=1.0">
    <title>4-2. ローディング中の画面を作ろう</title>
    <link rel="stylesheet" href="https://unpkg.com/ress/dist/ress.min.css">
    <link rel="stylesheet" href="css/style.css">
    <script src="js/script.js" defer></script>
</head>
<body>
    <!-- ローディング画面 -->
    <div id="loading">
        <img class="spinner" src="images/loading.png" alt="">
    </div>

    <!-- コンテンツ -->
    <div class="gallery">
        <div class="item">
            <img src="images/img1.jpg" alt="">
        </div>
        <div class="item">
            <img src="images/img2.jpg" alt="">
        </div>
        <div class="item">
            <img src="images/img3.jpg" alt="">
        </div>

        （・・・省略・・・）

    </div>
</body>
</html>
```

> リセットCSS
> 詳しくは左ページ下の
> POINTを確認ください

js/script.js

```javascript
const loading = document.querySelector('#loading');

window.addEventListener('load', () => {
  loading.classList.add('loaded');
});
```

📄 css/style.css

```css
/* ローディング画面 */
#loading {
    transition: all 1s;
    background-color: #ddd;
    position: fixed;
    z-index: 9999;
    inset: 0;
    display: grid;
    place-items: center;
}
.spinner {
    width: 200px;
    height: 200px;
}

/* ローディング完了したらローディング画面を隠す */
.loaded {
    opacity: 0;
    visibility: hidden;
}

/* コンテンツ部分 */
.gallery {
    display: grid;
    gap: 10px;
    grid-template-columns: repeat(auto-fit, minmax(300px, 1fr));
}
img {
    width: 100%;
    height: 300px;
    object-fit: cover;
}
```

■ ディレクトリー構成

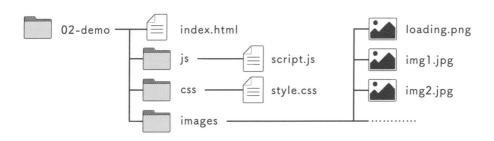

4-3
CHAPTER

ローディング中の画面を作ろう
CSSのクラスを加えよう

流れとしては、まずローディング中に見せたい画面、ローディングが終わったら見せたいコンテンツをHTMLとCSSで作成し、JavaScriptで「ローディングが終わったらローディング画面を消す」という指示を書きます。

■ ローディング中の画面を用意する

まずは新規index.htmlとstyle.cssを用意します。ファイルやフォルダーの階層、HTMLの細かいコードは前節を参照してください。

ローディング中の画面には「loading」というIDを割り振っておき、くるくる回るスピナー画像を入れておきます。そしてそのローディング画面とコンテンツをpositionプロパティで重ねます。

ローディング画面は画面いっぱいに広げたいので、「inset: 0;」としています。これで上下左右すべて0の位置に設定しています。「top: 0; right: 0; bottom: 0; left: 0;」と同じ指定です。「position: fixed;」と この 「inset: 0;」を組み合わせることで、要素を画面いっぱいに広げられるので、この指定方法も覚えておくといいでしょう。

📄 index.html

```
<body>
    <!-- ローディング画面 -->
    <div id="loading">
        <img class="spinner" src="images/loading.png" alt="">
    </div>

    <!-- コンテンツ -->
    <div class="gallery">
        <div class="item">
            <img src="images/img1.jpg" alt="">
        </div>
        <div class="item">
            <img src="images/img2.jpg" alt="">
        </div>
        <div class="item">
            <img src="images/img3.jpg" alt="">
        </div>

        (・・・省略・・・)
```

> loading とID を振り、スピナー画像を入れる

```
        </div>
    </body>
```

JS css/style.css

```css
/* ローディング画面 */
#loading {
    transition: all 1s;
    background-color: #ddd;
    position: fixed;
    z-index: 9999;
    inset: 0;
    display: grid;
    place-items: center;
}
.spinner {
    width: 200px;
    height: 200px;
}

/* コンテンツ部分 */
.gallery {
    display: grid;
    gap: 10px;
    grid-template-columns: repeat(auto-fit, minmax(300px, 1fr));
}
img {
    width: 100%;
    height: 300px;
    object-fit: cover;
}
```

左図のようにコンテンツ部分の上にローディング画面が重なります。

▌画像などの読み込みが終わったらクラスを加える

▶ イベントを用意する

　JavaScriptでは、まず「画面のローディングが終わったら」というイベントを用意しましょう。

　イベントのターゲットとなるのは画面なので、「window」が一番はじめにきます。そしてWebページ内の画像や音声、動画など、すべてのリソースの読み込みが完了したら、というイベントには「load」を使います。今回は関数名を付けない、無名関数（P.080参照）を使ってみましょう。

JS js/script.js

```
window.addEventListener('load', () => {
    // ローディングが終わったときの処理
});
```
→ 無名関数を使用

▶ クラスを加える

　読み込みが終わったらローディング画面を消すためのクラスを付与してコンテンツ部分を表示させます。CSSに、要素の不透明度を0にして隠すためのクラスを用意しておきましょう。

CSS css/style.css

```
.loaded {
    opacity: 0;
    visibility: hidden;
}
```

　このloadedクラスを新たに付け加えるようにJavaScriptで指示します。それにはclassList.add()メソッドが使えます。このパラメーターで指定したクラスが付与されるようになります。クラス名はシングルクォーテーションで囲みましょう。

JS 記述例

```
要素.classList.add('クラス名');
```

JS js/script.js

```
window.addEventListener('load', () => {
    要素.classList.add('loaded');
});
```
→ 追加した

ここでは「loaded」と記述します。これで「ページを読み込んだらloadedクラスを加える」という意味になります。

　あとは要素の指定です。非表示にしたい要素は、ローディング画面であるID名「loading」の<div>タグです。こちらを「loading」という定数に入れておきましょう。この「loading」に対して「loaded」クラスを追加するよう指定すれば完了です。

 js/script.js

```js
const loading = document.querySelector('#loading');    ──── 定数に入れた

window.addEventListener('load', () => {
  loading.classList.add('loaded');
});
```

「loading」に対して「loaded」クラスを追加

これで想定通りの動きとなりました。ローディングが終わったらローディング画面が消え、画像が表示されます。

クラス名を消したいとき

今回の例ではクラス名を追加しましたが、今あるクラスを削除したいときはclassList.remove()メソッドが利用できます。

記述例

```
要素.classList.remove('クラス名');
```

クラスの追加・削除は複数指定できる

カンマで区切ることで、一度の指定で複数のクラス名を追加したり、削除できます。

クラスの追加

記述例

```
要素.classList.add('クラス名1', 'クラス名2', 'クラス名3');
```

クラスの削除

記述例

```
要素.classList.remove('クラス名1', 'クラス名2', 'クラス名3');
```

4-4
CHAPTER

ボタンをクリックしてダークモードにしよう

ダークモードとは画面の背景を黒基調にしたデザインのことです。近年スマートフォンでの利用を中心に利用者が増えています。JavaScriptを使い、ボタンをクリックしてブラウザーをダークモードに切り替えてみましょう。

■ 作成するWebページの紹介

CSSのカスタムプロパティやメディア特性を使って、OSの設定を判定し、ダークモードに対応する方法もありますが、ここではボタンをクリックして切り替えるタイプのダークモードを実装します。

左上の水色のボタンをクリックすると、ライトモードとダークモードが切り替わります。

ライトモード　　　　　　　　　　　　ダークモード

■ 完成コード

 index.html

```
<!DOCTYPE html>
<html lang="ja">
<head>
    <meta charset="UTF-8">
    <meta name="viewport" content="width=device-width, initial-scale=1.0">
    <title>4-5. ボタンをクリックしてページをダークモードにしよう</title>
    <link rel="stylesheet" href="https://unpkg.com/ress/dist/ress.min.css">
    <link rel="stylesheet" href="css/style.css">
    <script src="js/script.js" defer></script>
</head>
<body>
    <button id="btn">ダークモードにする</button>
    <h1>ダークモードに対応させよう</h1>
    <p>私、夜間に車を運転していると、暗い所では対向車のライト以外ほとんど何も見えない…</p>
```

```
（・・・コンテンツ省略・・・）

</body>
</html>
```

js/script.js

```
const btn = document.querySelector('#btn');

btn.addEventListener('click', () => {
  document.body.classList.toggle('dark-theme');

  if(btn.textContent === 'ダークモードにする'){
    btn.textContent = 'ライトモードにする';
  } else {
    btn.textContent = 'ダークモードにする';
  }
});
```

css/style.css

```
body {
    padding: 2rem;
    transition: .5s;
}
.dark-theme {
    background: #000;
    color: #ddd;
}
#btn {
    background: #0bd;
    padding: 1rem;
      margin-bottom: 2rem;
    font-size: 1rem;
    color: #fff;
    border-radius: 8px;
    border: 0;
    cursor: pointer;
}
```

■ ディレクトリー構成

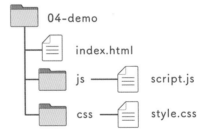

CHAPTER 4-4　ボタンをクリックしてダークモードにしよう　|　103

ボタンをクリックしてダークモードにしよう

4-5
CHAPTER
CSSのクラスを切り替えよう

ボタンをクリックしたときの処理をclickイベントで指定していきます。Webページの見た目を変更するなら、処理内容にCSSのクラスの有無を変更する指定を入れるといいでしょう。

ダークモードに設定するCSS

新規ファイルを作成します。HTMLでは文章とボタンを書いておきます。CSSではダークモードになったら背景色は黒に、文字色は明るいグレーになるようにクラスを用意しておきましょう。ここでは「dark-theme」というクラスを用意しました。

なお、このクラス属性はボタンがクリックされたら付与させるので、この段階ではHTML内のどの要素にも加えていません。

📄 index.html

```
<body>
    <button id="btn">ダークモードにする</button>
    <h1>ダークモードに対応させよう</h1>
    <p>私、夜間に車を運転していると、暗い所では対向車のライト以外ほとんど何も見えない…</p>

（・・・コンテンツ省略・・・）

</body>
```

📄 css/style.css

```
body {
    padding: 2rem;
    transition: .5s;
}
.dark-theme {
    background: #000;                    「dark-theme」というクラスを用意した
    color: #ddd;
}
#btn {
    background: #0bd;
    padding: 1rem;
    margin-bottom: 2rem;
    font-size: 1rem;
    color: #fff;
```

```
    border-radius: 8px;
    border: 0;
    cursor: pointer;
}
```

要素のクラス名をつけたり外したりしよう

今回は「btn」というIDのついたボタンがクリックされたら、`<body>`に「dark-theme」というクラスを付け加えたり、外したりできるようにします。まずは「ボタンをクリックしたら」という指定をしましょう。ボタンは「btn」という定数に入れておき、「クリックされたら」というイベントには「'click'」を使用します。

📄 js/script.js

```
const btn = document.querySelector('#btn');          ← 「btn」という定数

btn.addEventListener('click', () => {                ← 「'click'」を使用
  // クリックされたときの処理
});
```

クラス名はclassListに続けて「add」で加えたり、「remove」で削除できたりしました（P.099、101参照）。ただ、今回はクリックされるたびにつけたり外したりします。そこで使えるのがclassList.toggle()メソッドです。このメソッドを使うと、指定した要素にカッコ内のパラメーターで記述されているクラス名が付いていなければ追加、付いていれば削除します。

📄 記述例

```
要素.classList.toggle('クラス名');
```

body要素は「document.body」で取得できます。<body>にクラス属性「dark-theme」が追加されたり削除されたりするので、それに応じてCSSに書いておいた背景色は黒、文字色は明るいグレーのスタイルが適用されたりされなかったりします。こうしてダークモードとライトモードが切り替わります。

 js/script.js

```js
const btn = document.querySelector('#btn');

btn.addEventListener('click', () => {
  document.body.classList.toggle('dark-theme');
});
```

body要素を取得し、「dark-theme」の追加と削除を交互に行う

ライトモード　　　　　　　　　　　　　　ダークモード

これでボタンをクリックしてスタイルが切り替わりました。

ただ、今の段階ではダークモードになってもボタンのテキストが「ダークモードにする」のままになっています。次節からこのテキストも切り替えていきましょう。

「ダークモードにする」のまま

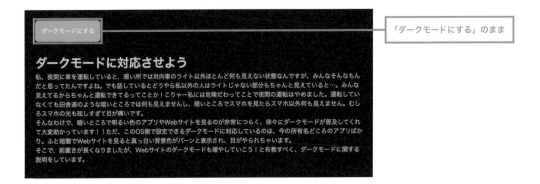

COLUMN

—

ローディングアニメーションを手軽に実装しよう

　本書でも利用しているローディング画面でくるくる回っている画像は、配布しているWebサイトがあります。自作が難しい場合は配布サイトを利用するといいでしょう。また、画像を使わずにHTMLとCSSだけでも実装できます。ここではローディング画面のアニメーションを手軽に実装するためのWebサイトを紹介します。

loading.io

https://loading.io/
形や色などをカスタマイズして、GIFやSVG、PNGなどの形式でダウンロードできます。会員登録が必要ですが、基本的に無料で利用できます。

Single Element CSS Spinners

https://projects.lukehaas.me/css-loaders/
各アニメーションの下にある「View Source」をクリックするとHTML/CSSのコードが表示されます。画面左上の「BG」や「FG」から色の変更やプレビューも可能です。

SpinKit

https://tobiasahlin.com/spinkit/
左右に表示された矢印をクリックして、別のアニメーションを閲覧できます。画面上部の「Source」をクリックするとHTML/CSSのコードが表示されます。

Epic Spinners

https://epic-spinners.epicmax.co/
定番の形から少し変わったものまで、様々なアニメーションが用意されています。各アニメーションをクリックするとHTML/CSSのコードが表示されます。

ボタンをクリックしてダークモードにしよう
ボタンのテキストを変更しよう

前節ではボタンをクリックしてダークモードに切り替わったあとも、ボタンのテキストが「ダークモードにする」のままになっていました。そこで条件を付けて変更できるようにしましょう。

▓ if / else 文で表示する文字を切り替えよう

条件を付ける方法はP.086「3-11　条件をつけて色の名前を表示させよう」で学習しました。まずは日本語で整理しておきましょう。

現在のボタンは常に「ダークモードにする」と表示されています。クリックするたびに「ライトモードにする」と切り替えたいので、今表示しているテキストがなんであるのかを評価させます。

もし今「ダークモードにする」と表示されているなら、クリックされたら「ライトモードにする」に変更します。逆に「ライトモードにする」と表示されているなら、クリックされたら「ダークモードにする」と変更するような条件を書きます。

📄 js/script.js

```
const btn = document.querySelector('#btn');

btn.addEventListener('click', () => {
  document.body.classList.toggle('dark-theme');

  もし（ボタンのテキストが「ダークモードにする」になっている）{
    ボタンのテキスト ＝「ライトモードにする」に変更；

  } そうでないなら（「ライトモードにする」と表示されているなら）{
    ボタンのテキスト ＝「ダークモードにする」に変更；
  }
});
```

付けたい条件を日本語で整理

これを、P.086「3-11　条件をつけて色の名前を表示させよう」の書き方を参考にif / else文に当てはめていきます。

要素のテキストは「textContent」で挿入できるのでした。

条件には「btn.textContent === 'ダークモードにする'」として、現在表示されているボタンのテキストが「ダークモードにする」になっているかどうかを評価します。そしてその結果次第であらためて「btn.textContent」で表示させたいテキストを指定します。

このように、条件をつけるときや、コードが長くなりそうなときは、一旦日本語で考え、コメントアウトを使いながら整理してコードを書いていくといいでしょう。

```js
const btn = document.querySelector('#btn');

btn.addEventListener('click', () => {
  document.body.classList.toggle('dark-theme');

  // もしボタンのテキストが「ダークモードにする」になっているなら
  if(btn.textContent === 'ダークモードにする'){
    // クリックされたときに「ライトモードにする」に変更
    btn.textContent = 'ライトモードにする';

  // そうでないなら（「ライトモードにする」と表示されているなら）
  } else {
    // クリックされたときに「ダークモードにする」に戻す
    btn.textContent = 'ダークモードにする';
  }
});
```

日本語で考えた条件に合わせてif/else文を追加

下線部分コメントアウト

ライトモード

ダークモード

これでボタンをクリックしてダークモードにするとボタンのテキストが「ライトモードにする」と表示されるようになりました。

4-7
CHAPTER

入力した文字数を数えてみよう

テキストの入力フォームでは、入力できる文字数を制限しているものもあります。ここでは文字をカウントして表示し、文字数によってスタイルを変更してみましょう。

作成するWebページの紹介

サンプルデータ
chapter4/07-demo

Webサイトにはクリックや読み込み、入力など、様々なイベントがあります。よく見かけるイベントをメインに作っていきながら、イベントを理解しましょう。

100文字以内で入力してください。
現在 **73** 文字

Webサイトにはクリックや読み込み、入力など、様々なイベントがあります。よく見かけるイベントをメインに作っていきながら、イベントを理解しましょう。ここでは入力した文字数をカウントして、その数に応じてスタイルを変更します。|

100文字以内で入力してください。
現在 110 文字 **110**

100文字以内で入力するように説明しているテキストエリアです。

100文字より文字が多くなると、数字の色が変わります。

完成コード

 index.html

```html
<!DOCTYPE html>
<html lang="ja">
<head>
    <meta charset="UTF-8">
    <meta name="viewport" content="width=device-width, initial-scale=1.0">
    <title>4-8. 入力した文字数を数えてみよう</title>
    <link rel="stylesheet" href="https://unpkg.com/ress/dist/ress.min.css">
    <link rel="stylesheet" href="css/style.css">
    <script src="js/script.js" defer></script>
</head>
<body>
    <textarea id="text"></textarea>
    <p>100文字以内で入力してください。</p>
    <p>現在 <span id="count">0</span> 文字</p>
</body>
</html>
```

js/script.js

```js
const text = document.querySelector('#text');
const count = document.querySelector('#count');

text.addEventListener('keyup', () => {
  count.textContent = text.value.length;

  if (text.value.length > 100) {
    count.classList.add('alert');
  } else {
    count.classList.remove('alert');
  }
});
```

css/style.css

```css
body {
  text-align: center;
  padding: 2rem;
}
#text {
  border: 4px solid #ccc;
  border-radius: 8px;
  width: 600px;
  height: 240px;
  max-width: 100%;
  font-size: 1.5rem;
  padding: 1rem;
  margin-bottom: 1rem;
}
#count {
  font-size: 1.5rem;
}
.alert {
  color: #f66;
}
```

■ ディレクトリー構成

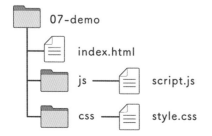

07-demo
index.html
js ── script.js
css ── style.css

4-8
CHAPTER

入力した文字数を数えてみよう
lengthでカウントしよう

今回はテキストエリアに文字が入力されるのをきっかけに、入力された文字数を数えるという処理が発生します。これまで通りイベントの指定をして処理内容を書くという順に記述していきましょう。

▨ テキストエリアを用意する

まずはHTMLとCSSで単純なテキストエリアを用意します。文字数を表示したい箇所は<span>タグで囲み、「count」というID名を割り振っておきました。

📄 index.html

```
<!DOCTYPE html>
<html lang="ja">
<head>
    <meta charset="UTF-8">
    <meta name="viewport" content="width=device-width, initial-scale=1.0">
    <title>4-8　入力した文字数を数えてみよう</title>
    <link rel="stylesheet" href="https://unpkg.com/ress/dist/ress.min.css">
    <link rel="stylesheet" href="css/style.css">
    <script src="js/script.js" defer></script>
</head>
<body>
    <textarea id="text"></textarea>
    <p>100文字以内で入力してください。</p>
    <p>現在 <span id="count">0</span> 文字</p>
</body>
</html>
```

ここに文字数を表示したい

📄 style.css

```
body {
    text-align: center;
    padding: 2rem;
}
#text {
    border: 4px solid #ccc;
    border-radius: 8px;
    width: 600px;
    height: 240px;
    max-width: 100%;
```

```
        font-size: 1.5rem;
        padding: 1rem;
        margin-bottom: 1rem;
    }
    #count {
        font-size: 1.5rem;
    }
```

文字が入力されると処理を実行する

　JavaScriptではまず、指示に利用する要素を定数として用意しましょう。テキストエリア部分は「text」、文字数が表示される部分は「count」としています。

　そして「テキストエリアに入力されたら」という指示のため、addEventListener()メソッドのパラメーターには「keyup」を記述します。これはテキストエリアにキーボードで入力したとき（さらに正確に言うとキーから手が離れたとき）に処理をするためのイベントです。今回も実行する処理はそんなに長くないので、無名関数で書いていきましょう。

js/script.js

```
const text = document.querySelector('#text');
const count = document.querySelector('#count');

text.addEventListener('keyup', () => {
  // キー入力されたときの処理
});
```

lengthで文字数を数える

　「keyup」イベントが発生したら、その都度テキストエリアにある文字数の値を取得し数を数えます。数を数えるには、数えたい文字列のあとに「.length」をつなげるだけでOKです。lengthは英語で「長さ」を意味します。文字列の長さ、つまり文字数をカウントしてくれるわけです。

記述例

```
'文字列'.length;
```

例えばどのページでもいいのでコンソールを開き、前ページの記述例のように入力して Enter
（ return ）キーを押すと、次の行に「3」と表示されます。

上で記載している「文字列」の文字が3文字であるからになります。この処理をテキストエリ
アの値にも使ってみましょう。

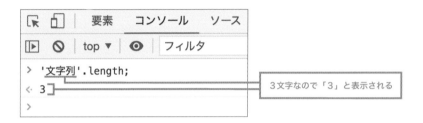

文字数は定数「count」に表示させたいので、「count.textContent」に文字が入れられる状
態にしておきます。

すでに入力された値は「要素.value」で取得できます。テキストエリアは「text」という定数
に入れているので、「text.value」です。それに続けて「.length」を書きます。

js/script.js

```
const text = document.querySelector('#text');
const count = document.querySelector('#count');

text.addEventListener('keyup', () => {
  count.textContent = text.value.length;        処理を追加
});
```

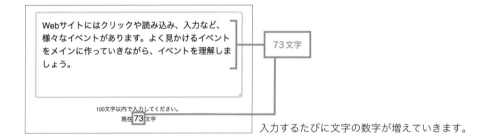

入力するたびに文字の数字が増えていきます。

ここで使った「length」は、他にも要素の数を数えるときなどに利用できます。今後も使う
ことになるので、今のうちに慣れておくといいでしょう。

■ lengthだけで文字数を取得できない文字もある

絵文字や一部の漢字では1文字でも2文字とカウントするものがあります※。こういった文字をコンソールで入力してみると、1文字なのに「2」と表示されます。

📄 サロゲートペアの例

```js
'😀'.length;
'吉'.length;
```

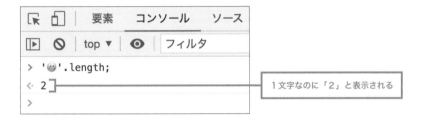

> '😀'.length;
> 2 ── 1文字なのに「2」と表示される

これを回避する方法もあります。本書では触れませんが、スプレッド演算子という書き方を使うといいでしょう。

📄 スプレッド演算子の記述例

```js
[...'😀'].length;
[...'吉'].length;
```

> [...'😀'].length;
> 1 ── 「1」と表示された

これで1文字としてカウントされます。

※1文字でも2文字とカウントするものがあります … Unicodeにおいて1つの文字に対し、2つの文字コードを使って表される文字。通常「1文字＝2バイト」のところ、一部の文字では「1文字＝4バイト」となります。「サロゲートペア」と言います。

4-9
CHAPTER

入力した文字数を数えてみよう
文字数によって表示を変えよう

今回作成している入力フォームは100文字以内で入力するようにと注意書きがあります。100文字を超えたとき、それがユーザーにわかるようにスタイルを変更してみましょう。比較演算子を使います。

▨ 文字数によってスタイルを追加・削除する

CSSで「alert」というクラスを追加し、文字色を設定しておきます。100文字を超える入力があると、この「alert」クラスを加えて、文字数を表示しているテキストの色を変更します。

 css/style.css

```css
body {
    text-align: center;
    padding: 2rem;
}
#text {
    border: 4px solid #ccc;
    border-radius: 8px;
    width: 600px;
    height: 240px;
    max-width: 100%;
    font-size: 1.5rem;
    padding: 1rem;
    margin-bottom: 1rem;
}
#count {
    font-size: 1.5rem;
}
.alert {
    color: #f66;
}
```

> CSSに「alert」のクラスを追加する

ここでもif/else文を使います。前のページでテキストエリア部分は「text」、文字数が表示される部分は「count」という定数にしました。それを利用します。日本語にすると次のような形になります。

chapter1
chapter2
chapter3
chapter4
chapter5
chapter6
chapter7
chapter8

js js/script.js

```
もし（定数「text」の文字数が100文字を超えるなら）{
    定数「count」にクラス名「alert」を加える
} そうでないなら（100文字以下なら）{
    定数「count」からクラス名「alert」をはずす
}
```

付けたい条件を日本語で整理

「100文字を超えると」という条件式の部分はひとまず置いておき、これまでの学習で書けるところだけ書いてみましょう。

「もし」は「if」、クラス名の追加は「要素.classList.add('クラス名')」、条件に当てはまらない場合は「else」、クラス名の削除は「要素.classList.remove('クラス名')」でした。

js js/script.js

```
if（定数「text」の文字数が100文字を超えるなら）{
    // alert クラスを加える
    count.classList.add('alert');
    // そうでないなら（100文字以下なら）
} else {
    // alert クラスをはずす
    count.classList.remove('alert');
}
```

もし

「alert」クラスの追加

条件に当てはまらなければ

「alert」クラスの削除

さて、その条件ですが、算数でもおなじみの不等号を使います。今回は入力された文字数と、数字の100を大なり記号「>」で比較します。

「>」は左側が右側よりも大きいかどうかを評価する記号です。もし左側が右側よりも大きければ、波カッコの中の処理が実行されますといった使い方ができます。このように左右を比較する記号を**比較演算子**と言います。

比較演算子を使い、「定数『text』の値の文字数が100を超えるなら」というのは以下のように記述できます。

js 定数「text」の値の文字数が100を超えるならのコード

```
text.value.length > 100
```

これをふまえてイベントが発生した際の無名関数の中にコードを記述しましょう。

```
js/script.js

const text = document.querySelector('#text');
const count = document.querySelector('#count');

text.addEventListener('keyup', () => {
  count.textContent = text.value.length;

  // 100文字を超えるなら
  if (text.value.length > 100) {          ┤記述した│
    // alert クラスを加える
    count.classList.add('alert');
    // そうでないなら（100文字以下なら）
  } else {
    // alert クラスをはずす
    count.classList.remove('alert');
  }
});
```

Webサイトにはクリックや読み込み、入力など、様々なイベントがあります。よく見かけるイベントをメインに作っていきながら、イベントを理解しましょう。ここでは入力した文字数をカウントして、その数に応じてス|

100文字以内で入力してください。
現在 100 文字

100文字までの見え方

Webサイトにはクリックや読み込み、入力など、様々なイベントがあります。よく見かけるイベントをメインに作っていきながら、イベントを理解しましょう。ここでは入力した文字数をカウントして、その数に応じてスタ

100文字以内で入力してください。
現在 101 文字

101文字目から数字部分の文字色が変わりました。

■ 比較演算子の種類

比較演算子は他にもいくつかあるので、まとめて見ていきましょう。

これまでにも、「等しい」という意味で「===」は使いました。これも比較演算子の1つです。「>=」や「<=」という記号はあまり見慣れないかもしれませんが、不等号の「≧」や「≦」と同じ意味です。記号を縦に並べるか横に並べるかの違いになります。

演算子	意味
A === B	AとBが等しいか
A > B	AがBを超えるか
A < B	AがB未満か
A >= B	AがB以上か
A <= B	AがB以下か
A !== B	AとBが等しくないか

 POINT

記号の順序をひっくり返して、「=>」や「=<」と書くと演算子として認識されなくなります。間違えやすいので気をつけましょう。

COLUMN

—

ダークモードに対応しているWebサイト

ダークモードに対応したWebサイトは、現状あまり多いとは言えません。それでもIT系やWeb制作系のWebサイトを中心に、少しずつ広がりはじめています。いくつか紹介するので、デザインの見せ方や実装の参考にしてみてください。

◼ Mana's portfolio website

筆者のポートフォリオWebサイトです。大きな背景画像もダークモードの場合は彩度を落として見やすく設定しています。

https://ja.webcreatormana.com/

◼ MDN Web Docs

Webデベロッパー向けのリソースサイトです。OSの設定で自動で切り替わる他、ページ上部のボタンからダークモード・ライトモードを切り替えられます。

https://developer.mozilla.org/ja/

◼ web.dev

Webサイト制作に関するリソースや学習コンテンツ、Webサイトのパフォーマンスなどを測定できるWebサイトです。ページ下部のボタンからライトモード・ダークモードを切り替えられます。

https://web.dev/

◼ Vue.js

JavaScriptのフレームワークであるVue.jsの公式Webサイトです。OSの設定、またはページ上部のボタンから切替可能です。

https://vuejs.org/

4-10
CHAPTER

チェックを入れると
ボタンを押せるようにしよう

「必須項目に入力したら」「規約に同意したら」など、特定の条件を満たすとボタンが押せるようになるフォームを見たことがあると思います。これもイベントを使って簡単に実装できます。

▦ 作成するWebページの紹介

▶ サンプルデータ
chapter4/10-demo

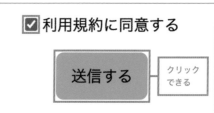

Webページが表示された状態だと、ボタンはグレーアウトしていてクリックできません。

チェックボックスにチェックを入れると、ボタンがクリックできる状態になります。

▦ 完成コード

 index.html

```html
<!DOCTYPE html>
<html lang="ja">
<head>
    <meta charset="UTF-8">
    <meta name="viewport" content="width=device-width, initial-scale=1.0">
    <title>4-10　チェックを入れるとボタンを押せるようにしよう</title>
    <link rel="stylesheet" href="https://unpkg.com/ress/dist/ress.min.css">
    <link rel="stylesheet" href="css/style.css">
    <script src="js/script.js" defer></script>
</head>
<body>
    <label><input id="check" type="checkbox"> 利用規約に同意する</label>
    <input id="btn" type="submit" value="送信する" disabled>
</body>
</html>
```

JS js/script.js

```js
const isAgreed = document.querySelector('#check');
const btn = document.querySelector('#btn');

isAgreed.addEventListener('change', () => {
  btn.disabled = !isAgreed.checked;
});
```

CSS css/style.css

```css
body {
    text-align: center;
    padding: 2rem;
}
label {
    display: block;
    margin-bottom: 1rem;
}
#btn {
    background: #0bd;
    padding: .75rem 1rem;
    border-radius: 8px;
}
#btn:disabled {
    background: #ccc;
}
```

■ ディレクトリー構成

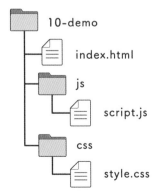

```
10-demo
├── index.html
├── js
│   └── script.js
└── css
    └── style.css
```

chapter1
chapter2
chapter3
chapter4
chapter5
chapter6
chapter7
chapter8

4-11
CHAPTER

チェックを入れるとボタンを押せるようにしよう
チェックでボタンを有効化しよう

HTMLの<input>タグで作成できるチェックボックスは、「チェックしているか」「していないか」の2種類の状態を切り替えられます。チェックの有無に応じて処理を実行できます。

▆ ボタンをクリックできない状態にしておく

HTMLには<input>タグのtype属性を「checkbox」にしたチェックボックスを用意します。また、ボタンにはdisabled属性を付与して無効（ボタンを押せない状態）に設定しておきます。今回は「チェックボックスをチェックしているかどうか」と「ボタンが有効化されているかどうか」の2つの状態を利用した書き方を見ていきましょう。

🔲 index.html

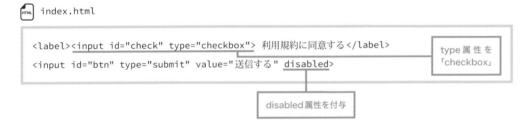

```html
<label><input id="check" type="checkbox"> 利用規約に同意する</label>
<input id="btn" type="submit" value="送信する" disabled>
```

> type属性を「checkbox」

> disabled属性を付与

CSSではボタンに疑似クラス「:disabled」をつけて、チェックが無効の状態ではボタンの背景色を薄いグレーに設定しました。

📄 css/style.css

```css
body {
  text-align: center;
  padding: 2rem;
}
label {
  display: block;
  margin-bottom: 1rem;
}
#btn {
  background: #0bd;
  padding: .75rem 1rem;
  border-radius: 8px;
}
#btn:disabled {
  background: #ccc;
}
```

> 無効の状態では背景をグレーにする設定

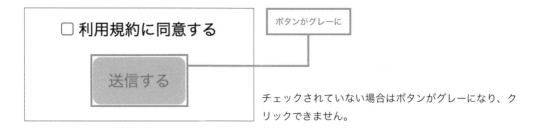

チェックされていない場合はボタンがグレーになり、ク
リックできません。

■ 変化があると処理を実行する

まずはチェックボックスの要素を「isAgreed」、ボタンを「btn」という定数にそれぞれ格納
しておきます。

続いてaddEventListener()メソッドを使ってイベントの指定をしましょう。チェックボック
スに変化があったときに発動させるには、changeイベントが使えます。

処理内容には、ひとまずコンソールに「チェックされました」というメッセージが表示される
ように書いてみましょう。

📄 js/script.js

```
const isAgreed = document.querySelector('#check');
const btn = document.querySelector('#btn');

isAgreed.addEventListener('change', () => {
  console.log('チェックされました');
});
```

それぞれの定数に格納

ひとまずコンソールに表示する

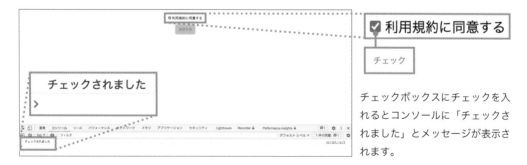

チェック

チェックボックスにチェックを入
れるとコンソールに「チェックさ
れました」とメッセージが表示さ
れます。

続いて、チェックボックスの状態がどのように表示されるのかを見てみましょう。console.
log()のカッコ内の部分を「isAgreed.checked」に書き換えてみます。なお、これは文字列で
はないので、シングルクォーテーションで囲む必要はありません。

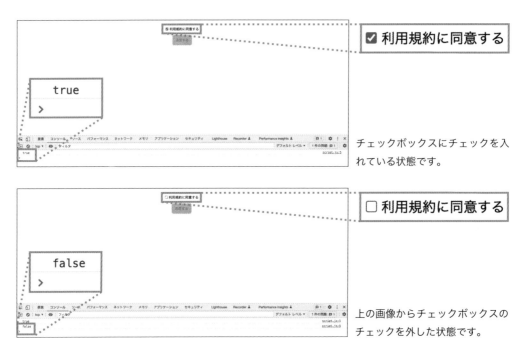

```
js  js/script.js
```

```javascript
const isAgreed = document.querySelector('#check');
const btn = document.querySelector('#btn');

isAgreed.addEventListener('change', () => {
  console.log(isAgreed.checked);
});
```

書き換えた

☑ 利用規約に同意する

true

チェックボックスにチェックを入れている状態です。

☐ 利用規約に同意する

false

上の画像からチェックボックスのチェックを外した状態です。

　チェックを入れたら「true」、チェックを外したら「false」とコンソールに表示されました。そんな文字列は用意していないはずなのに、これは一体なんの表示なのでしょうか？

　実は「true」や「false」は**真偽値**（または**ブール値**）と呼ばれる特別なデータの型です。これまで「条件に当てはまる」「条件に当てはまらない」などと説明してきましたが、当てはまることを「true」や真、当てはまらないことを「false」や偽と表現します。

　「はい」か「いいえ」で答えられるような場面、例えば「18歳以上ですか？」「猫派ですか？」「チェックを入れましたか？」といった質問にはこの「true」や「false」で返答します。

　今回の例だと、チェックを入れたら「true」と表示されたので「はい、チェックが入っています」。チェックを外したら「false」と表示されたので「いいえ、チェックは入っていません」。という返答が得られたわけです。

if文を使ってチェックされていたらボタンを有効化する

得られた「true」や「false」の返答をもとに、条件を書いていきましょう。まずは日本語で考えてみると内容が整理できます。

JS 記述例

```
もし（ チェックボックスにチェックが入っているなら ）{
    ボタンの無効化をなしにする（＝ボタンがクリックできる）
} そうじゃないなら（チェックが入っていないなら）{
    ボタンを無効化する
}
```

付けたい条件を日本語で整理

HTMLで付与していたボタンのdisabled属性は、JavaScriptでも要素に「.disabled」と続けて書けば操作できます。

Webページを読み込ませた状態だとdisabled属性がついているので、「btn.disabled」が「true」の状態、つまり「ボタンの無効化が効いている」ということです。

そしてチェックボックスにチェックが入ったらボタンをクリックできるようにしたい、「ボタンの無効化をなしにする」ということです。「btn.disabled」を「false」にすると指定します。

以上をふまえて、上記日本語で書いた条件文にコードを当てはめていきましょう。

JS js/script.js

```
const isAgreed = document.querySelector('#check');
const btn = document.querySelector('#btn');

isAgreed.addEventListener('change', () => {
// チェックボックスにチェックが入っているなら
  if (isAgreed.checked === true){
    // ボタンの無効化をなしにする
    btn.disabled = false;
  // そうじゃないなら（チェックが入っていないなら）
  } else {
    // ボタンを無効化する
    btn.disabled = true;
  }
});
```

日本語で書いた条件文を
コードに当てはめる

さらに、if文の条件の中に「〇〇に当てはまるなら」という意味で使う「=== true」は省略できるので、以下のように書いても同じように動作します。

📄 js/script.js

```
const isAgreed = document.querySelector('#check');
const btn = document.querySelector('#btn');

isAgreed.addEventListener('change', () => {
  if (isAgreed.checked){
    btn.disabled = false;
  } else {
    btn.disabled = true;
  }
});
```

「=== true」は省略

これでチェックの有無によってボタンの有効・無効を操作できるようになりました。

☑ 利用規約に同意する

送信する

4-12
CHAPTER

チェックを入れるとボタンを押せるようにしよう
より効率のいい書き方を考えよう

前節のコードの書き方でも問題はありません。プログラムは意図したように動作します。ただ、プログラムは効率よく書いていくのも大事です。より効率のいい書き方がないか一緒に考えていきましょう。

■ チェックとボタンの法則を見つける

前節のif / else文で書いたコードのチェックボックスとボタンの関係を改めて観察してみましょう。

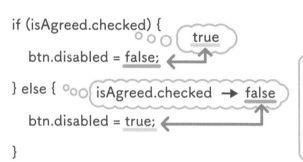

```
if (isAgreed.checked) {       true
    btn.disabled = false;
} else {   isAgreed.checked → false
    btn.disabled = true;
}
```

チェックされていると (isAgreed checked)
ボタンの無効化（btn.disabled）
はなくなり（false）、
チェックされていないときに（elseのとき）
ボタンは無効化（btn.disabled）
されます（true）

「true」と「false」を使うと以下のように言い換えられます。

- 「isAgreed.checked」が「true」なら、「btn.disabled」は「false」になる
- 「isAgreed.checked」が「false」なら、「btn.disabled」は「true」になる

チェックされている！　　無効化✕＝有効！

✓　　　　→　　送信
true　　　　　　　false

チェックされていない　　無効化◯

□　　　　→　　送信　　…
false　　　　　　　true

チェックボックスとボタンの無効化の状態が逆になっている！

■「!」を使って効率よく記述する

前ページの図のようにチェックボックスとボタンの無効化の状態は逆になっているのがわかりました。そこで、逆を意味する記号である「!」を使います。「!」はP.116「4-9 入力した文字数を数えてみよう 文字数によって表示を変えよう」の比較演算子でも出てきました。そのときはイコールに「!」をつけて「!==」として「等しくない」を表すものと紹介しています。今回はチェックされているかどうかを判定する「isAgreed.checked」の前に「!」をつけることで、結果を否定、つまり「false」として扱います。

📄 js/script.js

```
const isAgreed = document.querySelector('#check');
const btn = document.querySelector('#btn');

isAgreed.addEventListener('change', () => {
  btn.disabled = !isAgreed.checked;          前に「!」を付けてfalseにする
});
```

このように指定すれば、逆の結果が代入されるようになります。「isAgreed.checked」が「true」なら「false」が、「isAgreed.checked」が「false」なら「true」が「btn.disabled」に代入されます。

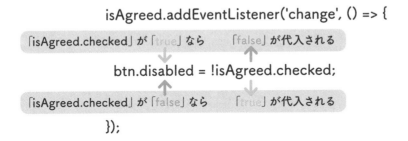

このように「true」のとき「false」、「false」のとき「true」とコードを短く書くことができました。慣れるまでは「if」や「else」を使ってプログラムを書いてもらって問題ありませんが、少しずつより効率よく書く方法がないか考えてみるといいでしょう！

COLUMN

—

様々なデータの型

ここまでで文字列と真偽値といったデータを扱ってきました。これらのデータの種類のことを**データ型**と言います。データ型によって、できることやできないことがあります。例えば「10」でも、それが数値かもしれませんし、文字列かもしれません。これらを区別して正しくデータを扱うためにもデータ型の理解が必要です。

数値型の注意点

数値をシングルクォーテーションやダブルクォーテーションで囲んでしまうと、「数値型」ではなく「文字列型」として認識されます。すると四則演算などが正しくできなくなってしまいます。意図しないデータ型とならないように書き方には注意が必要です。例えば以下のような指示を書いたとき、結果は上のものが「13」、下のものが「103」として表示されます。シングルクォーテーションで囲んだ方は単純に文字としてくっつけた形になってしまうのです。

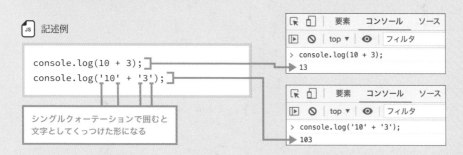

JS 記述例

```
console.log(10 + 3);
console.log('10' + '3');
```

シングルクォーテーションで囲むと
文字としてくっつけた形になる

```
> console.log(10 + 3);
  13
```

```
> console.log('10' + '3');
  103
```

様々なデータ型

データ型の種類	意味	英語表記	例
文字列型	文字列を表す	String	'Hello' / "こんにちは"
数値型	数値を表す	Number	10 / 2.8 / -90
論理型	true(真)かfalse(偽)のどちらか、真偽値を表す	Boolean	true / false
Undefined型	値が割り当てられていない状態を表す	Undefined	undefined
Null型	値が存在しないことを表す	Null	null
オブジェクト型	複数のデータを参照する	Object	{ a: 'hello', b: 10 }

4-13
CHAPTER

ページのスクロール量を表示しよう

文章がメインのWebページではコンテンツの量も多くなり、縦に長いページになりがちです。ページをスクロールする量も多くなります。そこでページ上部にスクロール量を表す「プログレスバー」を設置してみましょう。

▶ サンプルデータ
chapter4/13-demo

■ 作成するWebページの紹介

文章がメインのWebページでは「全体でどれくらいのスクロールが必要」で、「今どのあたりにいるのか」をユーザーに伝えられる設計にすると親切です。

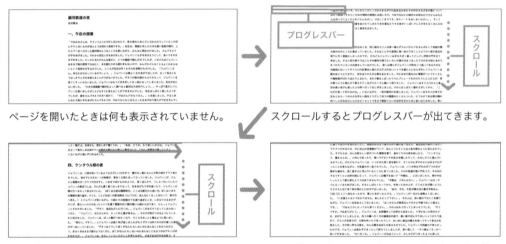

ページを開いたときは何も表示されていません。

スクロールするとプログレスバーが出てきます。

プログレスバーの位置で現在どれくらいスクロールされたのかわかります。

ページの一番下までスクロールすると、プログレスバーは右端まで到達します。

■ 完成コード

 index.html

```html
<div id="bar"></div>

<article>
  <h1>銀河鉄道の夜</h1>
  <p>宮沢賢治</p>

  <h2>一、午后の授業</h2>
  <p>「ではみなさんは、そういうふうに川だと云われたり、乳の流れたあとだと云われたりしていたこのぼんやりと白いものがほんとうは何かご承知ですか。」</p>
```

```
(・・・コンテンツ内容 省略・・・)

</article>
```

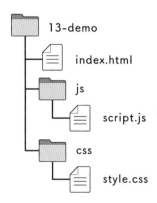 js/script.js

```javascript
const getScrollPercent = () => {
  // スクロール量
  const scrolled = window.scrollY;

  // ページ全体の高さ
  const pageHeight = document.documentElement.scrollHeight;

  // 表示領域の高さ
  const viewHeight = document.documentElement.clientHeight;

  // スクロールされた割合
  const percentage = scrolled / (pageHeight - viewHeight) * 100;

  // プログレスバーに幅を指定
  document.querySelector('#bar').style.width = `${percentage}%`;
};

window.addEventListener('scroll', getScrollPercent);
```

css/style.css

```css
#bar {
    background-color: #0bd;
    position: fixed;
    top: 0;
    left: 0;
    height: 10px;
}
article {
    max-width: 800px;
    margin: auto;
    padding: 2rem;
    line-height: 1.8;
}
h2 {
    margin: 2rem 0 1rem;
}
```

■ ディレクトリー構成

```
13-demo
├── index.html
├── js
│   └── script.js
└── css
    └── style.css
```

chapter1
chapter2
chapter3
chapter4
chapter5
chapter6
chapter7
chapter8

4-14
CHAPTER

ページのスクロール量を表示しよう
スクロール量を取得しよう

今回はスクロールしたときに発生するイベントを使います。まずは表示しているWebページのうち、どれくらいの量がスクロールされているのかを取得します。

▓ 実装のステップ

4-14 〜 4-16節にまたぐ少し複雑な作業になりますので、最初に実装の過程を整理しておきましょう。

1 プログレスバーを作成する
2 スクロール量を取得する
3 ページのサイズを取得する
4 スクロールされた割合を計算する
5 プログレスバーの幅に設定する

1 プログレスバーを作成する

まずはHTMLとCSSでWebページ上部に表示させるプログレスバーを作成します。HTMLでは「bar」というIDのついた空の<div>タグを用意しました。ここにスクロール量に応じて伸縮する横のラインが表示されるように作っていきます。

📄 index.html

```html
<div id="bar"></div>                          「bar」というIDのついたdivを作成した

<article>
    <h1>銀河鉄道の夜</h1>
    <p>宮沢賢治</p>

    <h2>一、午后の授業</h2>
    <p>「ではみなさんは、そういうふうに川だと云われたり、乳の流れたあとだと云われたりしていたこのぼんやりと白いものがほんとうは何かご承知ですか。」</p>

（・・・コンテンツ内容　省略・・・）

</article>
```

CSSではID「bar」に水色の背景色をつけ、「position: fixed;」で画面の上部に固定表示させています。現段階では幅の指定がないので何も表示されませんが、仮に「width: 100%」を加えると、プログレスバーが左端から右端まで表示されます。この幅の値は後ほどJavaScript側で操作するので、今は記述しないでおきましょう。

CSS css/style.css

```
#bar {
    background-color: #0bd;
    position: fixed;
    top: 0;
    left: 0;
    height: 10px;
}
article {
    max-width: 800px;
    margin: auto;
    padding: 2rem;
    line-height: 1.8;
}
h2 {
    margin: 2rem 0 1rem;
}
```

水色の背景色を作成した

水色のライン

銀河鉄道の夜
宮沢賢治

一、午后の授業

「ではみなさんは、そういうふうに川だと云われたり、乳の流れたあとだと云われたりしていたこのぼんやりと白いものがほんとうは何かご承知ですか。」先生は、黒板に吊した大きな黒い星座の図の、上から下へ白くけぶった銀河帯のようなところを指しながら、みんなに問をかけました。カムパネルラが手をあげました。それから四五人手をあげました。ジョバンニも手をあげようとして、急いでそのままやめました。たしかにあれはみんな星だと、いつか雑誌で読んだのでしたが、このごろはジョバンニはまるで毎日教室でもねむく、本を読むひまも読む本もないので、なんだかどんなこともよくわからないという気持ちがするのでした。ところが先生は早くもそれを見附けたのでした。「ジョバンニさん。あなたはわかっているのでしょう。」ジョバンニは勢よく立ちあがりましたが、立って見るともうはっきりとそれを答えることができないのでした。ザネリが前の席からふりかえって、ジョバンニを見てくすっとわらいました。ジョバンニはもうどぎまぎしてまっ赤になってしまいました。先生がまた云いました。「大きな望遠鏡で銀河をよっく調べると銀河は大体何でしょう。」やっぱり星だとジョバンニは思いましたがこんどもすぐに答えることができませんでした。先生はしばらく困ったようすでしたが、眼をカムパネルラの方へ向けて、「ではカムパネルラさん。」と名指しました。するとあんなに元気に手をあげたカムパネルラが、やはりもじもじ立ち上ったままやはり答えができませんでした。先生は意外なようにしばらくじっとカムパネルラを見ていましたが、急いで「では。よし。」と云いながら、自分で星図を指しました。「このぼんやりと白い銀河を大きないい望遠鏡で見ますと、もうたくさんの小さな星に見えるのです。ジョバンニさんそうでしょう。」ジョバンニはまっ赤になってうなずきました。けれどもいつかジョバンニの眼のなかには涙がいっぱいになりました。そうだ僕は知っていたのだ、勿論カムパネルラも知っている、それはいつかカムパネルラのお父さんの博士のうちでカムパネルラといっしょに読んだ雑誌のなかにあったのだ。それどこでなくカムパネルラは、その雑誌を読むと、すぐお父さんの書斎から巨きな本をもってきて、ぎんがというところをひろげ、まっ黒な頁いっぱいに白い点々のある美しい写真を二人でいつまでも見たのでした。それをカムパネルラが忘れる筈もなかったのに、すぐに返事をしなかったのは、このごろぼくが、朝にも午后にも仕事がつらく、学校に出てももうみんなともはきはき遊ばず、カムパネルラともあんまり物を云わなくなったので、カムパネルラがそれを知って気の毒がってわざと返事をしなかったのだ、そう考えるとたまらないほど、じぶんもカムパネルラもあわれなような気がするのでした。先生はまた云いました。「で

仮に「bar」に「width: 100%;」を加えると水色のラインが表示されます。

スクロールしたときのイベントを設定する

「scroll」イベントは、画面をスクロールするたびにイベントが発生します。画面に関することなので、「window」オブジェクトに addEventListener() メソッドでイベントを設定しましょう。

今回はイベントが発生したときの処理の指定が少し長くなりそうなので、関数を用意して、イベントが発生したら呼び出す書き方にしてみましょう。関数名を「getScrollPercent」として、ひとまずコンソールで「スクロールされました」と表示させるように記述します。

📄 js/script.js

```javascript
const getScrollPercent = () => {
  console.log('スクロールされました');        ← コンソールを設定した
};

window.addEventListener('scroll', getScrollPercent);    ← イベントを設定した
```

関数名

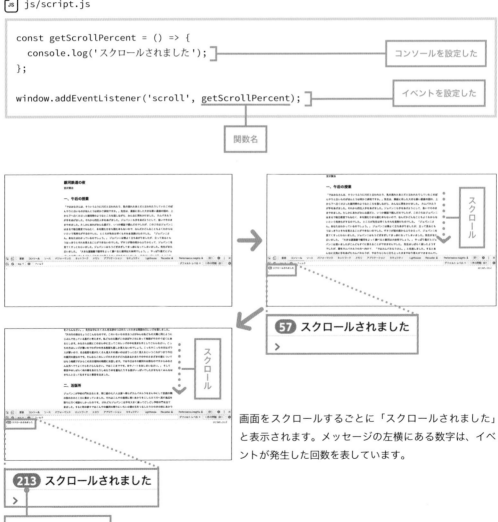

57 スクロールされました

213 スクロールされました

イベントが発生した回数

画面をスクロールするごとに「スクロールされました」と表示されます。メッセージの左横にある数字は、イベントが発生した回数を表しています。

scrollYでスクロール量を取得する

スクロールするごとにgetScrollPercent関数を呼び出せたなら、次はどれくらいスクロールされたのかを取得します。スクロール量は「scrollY」で取得できます。「window」オブジェクトのスクロール量なので、ドットでつなげて「window.scrollY」となります。

これでページの一番上から垂直方向で何pxスクロールしたのかの数値が返されます。

コンソールにはテンプレート文字列（P.068参照）を使って、スクロール量と先ほどの「スクロールされました」をつなげて表示させてみましょう。

📄 js/script.js

```
const getScrollPercent = () => {
  // スクロール量
  const scrolled = window.scrollY;
  console.log(`${scrolled} スクロールされました`);
};

window.addEventListener('scroll', getScrollPercent);
```

追加した

テンプレート文字列

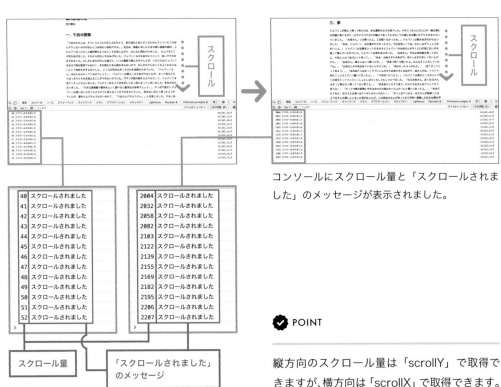

コンソールにスクロール量と「スクロールされました」のメッセージが表示されました。

✅ POINT

縦方向のスクロール量は「scrollY」で取得できますが、横方向は「scrollX」で取得できます。

4-15
CHAPTER

ページのスクロール量を表示しよう
ページのサイズを取得しよう

プログレスバーは全体をどれくらいスクロールしたかの割合で表示します。そのため、元となるスクロール可能なページの高さを取得する必要があります。取得方法を見ていきましょう。

3　ページのサイズを取得する

　ページ全体の高さはすぐに取得できそうですが、「スクロール可能な高さ」となると、少し計算が必要になってきます。というのもページの高さは一番上から一番下までの範囲ですが、そこに表示領域（現在表示されている画面）の高さは考慮されていません。

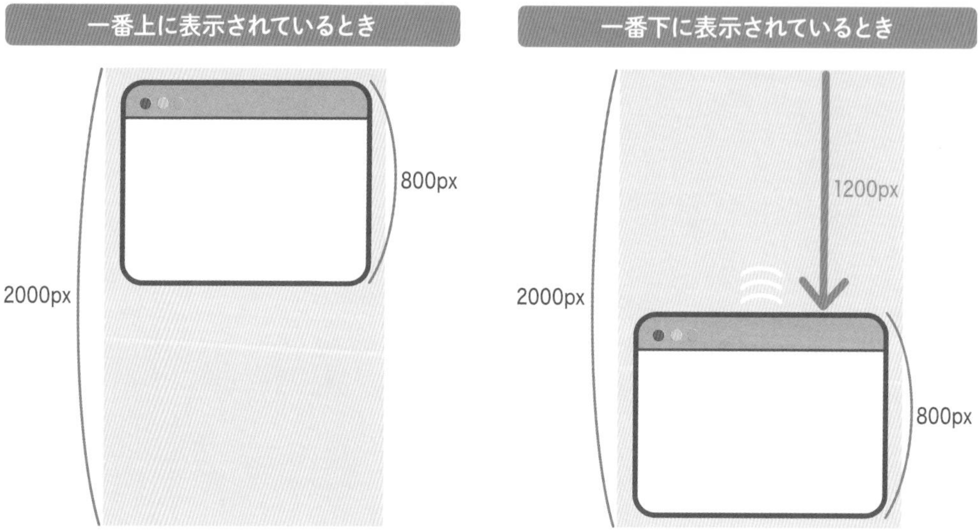

一番上に表示されているとき

800px

2000px

一番下に表示されているとき

1200px

2000px

800px

　前節で取得したスクロール量もあわせて考えてみましょう。ここでは上図のようにページの高さを2000px、表示領域の高さを800pxとします。まったくスクロールしていない状態だと、スクロール量は0です（上図の左側の状態）。1200pxスクロールしたら一番下に到達して、それ以上スクロールできなくなります（上図の右側の状態）。そう、表示領域の高さが800pxなので、スクロール可能なページの高さはページ全体の高さから表示領域の高さを引いた数値になります。

　それでは計算を始める前に、それぞれの高さを取得しましょう。

ページ全体の高さ

　ページの高さは「scrollHeight」で取得します。今回の作成するページのようにコンテンツの量が多くて縦スクロールが発生する場合は、画面に表示されていない伸びた部分の高さも含みます。

　DOMから考えると、ページのルートとなる<html>タグで作成された部分は「document.documentElement」と指定されます。続けて「.scrollHeight」とするとページの高さが取得できます。ここでは定数「pageHeight」に代入しました。

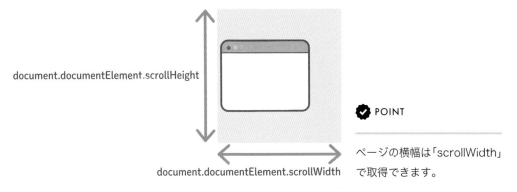

document.documentElement.scrollHeight

document.documentElement.scrollWidth

✅ POINT

ページの横幅は「scrollWidth」
で取得できます。

```js
const pageHeight = document.documentElement.scrollHeight;
```
　　　　　　　　　　　　　　　　　　　　　　　　　　　ページ全体の高さ

表示領域の高さ

　コンテンツの表示領域のうち、スクロールバーを含まない部分の高さは「clientHeight」で取得します。こちらも「document.documentElement」に続けて指定しましょう。ここでは定数「viewHeight」に代入しました。

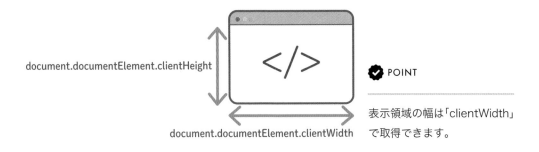

document.documentElement.clientHeight

document.documentElement.clientWidth

✅ POINT

表示領域の幅は「clientWidth」
で取得できます。

```js
const viewHeight = document.documentElement.clientHeight;
```

それでは関数「getScrollPercent」の中に記述していきましょう。コンソールにはページの高さと表示領域の高さがうまく取得できているか表示してみます。

📄 js/script.js

```javascript
const getScrollPercent = () => {
  // スクロール量
  const scrolled = window.scrollY;
  console.log(`${scrolled} スクロールされました`);

  // ページ全体の高さ                              ┐── ページ全体の高さを記述
  const pageHeight = document.documentElement.scrollHeight;

  // 表示領域の高さ                               ┐── 表示領域の高さを記述
  const viewHeight = document.documentElement.clientHeight;

  console.log(`ページの高さ：${pageHeight}、表示領域の高さ：${viewHeight}`)
                                                 ┐── コンソールで取得できているか確認
};

window.addEventListener('scroll', getScrollPercent);
```

前節で指定していたスクロール量とともに、ページの高さや表示領域の高さもコンソールに表示されました。一番下までスクロールすると、ページの高さから表示領域の高さを引いた数値が、スクロール量と一致しているのがわかります。

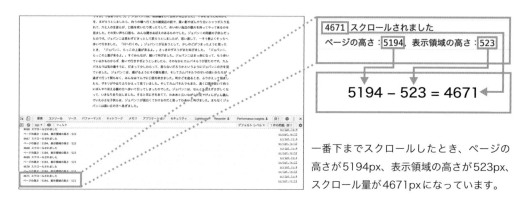

一番下までスクロールしたとき、ページの高さが5194px、表示領域の高さが523px、スクロール量が4671pxになっています。

無事に表示されたのが確認できたら、このテストメッセージは不要なので、コンソールのコードをコメントアウトしておきましょう。

4-16
CHAPTER

ページのスクロール量を表示しよう
計算式を書いてみよう

スクロール量やページの高さなど、必要な材料がそろったので、あとは計算式にあてはめてプログレスバーの幅を装飾しましょう。

4 スクロールされた割合を計算する

取得できた数値を使って、スクロールの進捗度を割り出します。

JS 計算式

```
スクロール量 ÷ スクロール可能なページの高さ × 100
```

この式で、現在ページの何%分スクロールしたかを0~100の数値で出せるようになります。スクロール可能なページの高さはページ全体の高さから表示領域の高さを引いた数値でした。なので、それも式に当てはめると以下のようになります。

JS 計算式

```
スクロール量 ÷（ページ全体の高さ － 表示領域の高さ）× 100
```

ではその計算式をどのように書いていくかですが、記号が少し変わるものの、JavaScriptでは算数や数学で使う四則演算が利用できます。試しにコンソールに「10 + 3」の結果を出すように記述してみましょう。数値を計算するときはP.129「COLUMN　様々なデータの型」で紹介した数値型を利用するので、シングルクォーテーションで囲む必要はありません。

JS 記述例

```
console.log(10 + 3);
```

| 要素 | コンソール | ソース |

▶ | 🚫 | top ▼ | 👁 | フィルタ

> `console.log(10 + 3);`

10＋3で13と計算された → `13`

なお、足し算、引き算はそのまま「+」と「-」を使えばいいのですが、掛け算や割り算は少し記号が変わります。掛け算は「×」ではなく「*（アスタリスク）」、割り算は「÷」ではなく「/（スラッシュ）」を使います。

 記述例

```js
console.log(10 * 3);
```

　「10*3」つまり「10×3」の結果が「30」と表示されましたね。このように数値の計算をするための記号を**算術演算子**と言います。なお、算術演算子は複数の演算子を組み合わせることもできます。そのときの優先順位は算数と同じように、足し算や引き算よりも掛け算や割り算が優先されます。例えば足し算と掛け算を組み合わせた式を作ってみると、

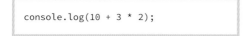 記述例

```js
console.log(10 + 3 * 2);
```

　掛け算の方を先に計算するので、結果は16となります（「10＋3」を先に計算した26ではない）。この優先順位を変えたい場合は、算数で習った通り、足し算の方をカッコで囲みます。

 記述例

```js
console.log((10 + 3) * 2);
```

　すると足し算の方を先に計算するので、結果は先ほどと変わり26となります。

算術演算子

その他の算術演算子もここでまとめておきます。足し算、引き算、掛け算、割り算は今後も頻繁に使うことになるので、しっかり覚えておきましょう。

算術演算子	意味	例	結果
+	足し算	10 + 3	13
-	引き算	10 - 3	7
*	掛け算	10 * 3	30
/	割り算	10 / 3	3.3333333333333335
%	割り算の余りを計算	10 % 3	1
**	べき乗を計算	10 ** 3	1000

さて、算術演算子の使い方がわかってきたところで、実際にプログレスバーの横幅をJavaScriptで書いていきましょう！

js js/script.js

```
const percentage = スクロール量 ÷ （ページ全体の高さ － 表示領域の高さ） × 100 ;
```

スクロール量は定数「scrolled」、ページ全体の高さは定数「pageHeight」、表示領域の高さは定数「viewHeight」に代入していました。計算式に当てはめて、新たに定義した定数「percentage」に代入しましょう。どのように動作するか、コンソールで確認してみます。

js js/script.js

```
const getScrollPercent = () => {
  // スクロール量
  const scrolled = window.scrollY;

  // ページ全体の高さ
  const pageHeight = document.documentElement.scrollHeight;

  // 表示領域の高さ
  const viewHeight = document.documentElement.clientHeight;

  // スクロールされた割合
  const percentage = scrolled / (pageHeight - viewHeight) * 100;    ← 追加した
  console.log(percentage);
};                                                                  ← 新たに定義した定数

window.addEventListener('scroll', getScrollPercent);
```

　コンソールで見てみると、スクロールするごとに数値が大きくなるのがわかります。コンソールで確認ができたら、「console.log(percentage);」は削除してもOKです。

5　プログレスバーの幅に設定する

　あとは計算して出したスクロールされた割合を、ID「bar」の横幅 (width) としてスタイルを付与してあげれば完成です。幅の値には単位の「%」も必要なのでテンプレート文字列で指定します。

📄 js/script.js

```
const getScrollPercent = () => {
  // スクロール量
  const scrolled = window.scrollY;

  // ページ全体の高さ
  const pageHeight = document.documentElement.scrollHeight;

  // 表示領域の高さ
  const viewHeight = document.documentElement.clientHeight;

  // スクロールされた割合
  const percentage = scrolled / (pageHeight - viewHeight) * 100;

  // プログレスバーに幅を指定
  document.querySelector('#bar').style.width = `${percentage}%`;
};
window.addEventListener('scroll', getScrollPercent);
```

「%」の値を入れる

追加した

テンプレート文字列で指定

ID「bar」の横幅としてスタイルを付与

　これでスクロールするたびにID「bar」の「width」の値が更新されて、スクロールに応じて伸縮するプログレスバーの完成です。

COLUMN

—

複数の条件を組み合わせられる論理演算子

「〇〇以上で、なおかつ〇〇以下」のような複数の条件を作るときは、**論理演算子**と呼ばれる演算子を使って条件式をつないで指示します。

例として、9時から12時までは「モーニング会員」が利用でき、8時または23時の時間帯であれば「早朝＆夜間会員」が利用できるトレーニングジムを想定してプログラムを書いてみましょう。

▶ サンプルデータ
chapter4/col-andor-demo

&& (AND なおかつ)

2つある条件を両方とも満たすような条件を**AND条件**といい、「&（アンド）」記号を条件式の間に2つ続けて書きます。

JS 記述例

```
条件式1 && 条件式2
```

上記の記述例は条件式1、なおかつ条件式2 に当てはまる場合、という意味になります。

それでは9時から12時であれば、コンソールに「モーニング会員」と表示されるよう書いてみましょう。時間を表す定数「hour」を用意して、条件の部分にはhourの値が「9以上」なおかつ「12未満」と書きます。

JS 例

```
const hour = 9;

if(hour >= 9 && hour < 12){
    console.log('モーニング会員');
}
```

定数「hour」に9〜12までの数値を入れると、コンソールに「モーニング会員」と表示されます。

▌|| (OR または)

2つの条件のうち、どちらか1つだけ満たす条件を**OR条件**といい、「|（バーティカルバー）」記号を条件式の間に2つ続けて書きます。

JS 記述例

```
条件式1 || 条件式2
```

こちらは8時または23時であれば、コンソールに「早朝＆夜間会員」と表示させたいので、hourの値が「8」もしくは「23」という条件になります。

JS 例

```
const hour = 23;

if(hour === 8 || hour === 23){
    console.log('早朝＆夜間会員');
}
```

定数「hour」に8か23を入れると、コンソールに「早朝＆夜間会員」と表示されます。

なお、論理演算子は「& &」や「| |」のように、2つの記号の間にスペースを入れるとエラーになるので注意しましょう。

CHAPTER 5

—

複数のデータを使ってみよう！

ものの名前や値段、個数、色など、身の回りはさまざ
まなデータ（情報）であふれています。JavaScriptで
複数のデータを扱うための基本となる書き方や、繰り
返し処理をする方法を覚えていきましょう。

Introduction | Getting Started | Basic | Event | Data | Animation | Website | Troubleshooting

5-1
CHAPTER

作成する画像一覧ページの紹介

フルーツジュースのメニューを一覧にしたWebページを作ります。HTMLではなく、JavaScriptに画像やテキストの情報を記述し、それらをページ上に表示させるまでの流れを学習しましょう。

■ 完成イメージ

▶ サンプルデータ
chapter5/MenuList

　下の画像を確認いただければわかりますが、見た目はいたってシンプルなWebページを作ります。クリックしたら何か変化が起こる…なんて機能も付いていません。このWebページならHTMLとCSSだけで実装できそうです。しかしHTMLのコードに注目してみてください。HTMLには画像やメニュー名、値段などの情報は一切なく、JavaScriptファイルの方にそれらの記述が見られます。JavaScriptでコンテンツを用意しているということですね。

　この例のように6つくらいのデータの集まりではJavaScriptのありがたみを感じないかもしれません。しかし、HTMLタグを書かなくてもデータを追加したり、修正できたりすることは、とても便利な活用法があります※。まずはその第一歩として、この章でJavaScriptを使った様々なデータの扱い方を学んでいきましょう！

※データの追加、修正の他、本書では掲載しておりませんが、例えば外部で管理しているデータを読み込ませて表示するといったこともできるようになります。

完成コード

 index.html

```html
<!DOCTYPE html>
<html lang="ja">
<head>
    <meta charset="UTF-8">
    <meta name="viewport" content="width=device-width, initial-scale=1.0">
    <title>メニューリスト</title>
    <link rel="stylesheet" href="https://unpkg.com/ress/dist/ress.min.css">
    <link rel="preconnect" href="https://fonts.googleapis.com">
    <link rel="preconnect" href="https://fonts.gstatic.com" crossorigin>
    <link href="https://fonts.googleapis.com/css2?family=Kiwi+Maru&display=swap" rel="stylesheet">
    <link rel="stylesheet" href="css/style.css">
    <script src="js/script.js" defer></script>
</head>
<body>
    <h1>Fruit Juice</h1>
    <div id="menu"></div>
</body>
</html>
```

> HTMLには画像やメニュー名、値段などの情報がない

js/script.js

```js
const menu = document.querySelector('#menu');

const lists = [
  {
    name: 'イチゴ',
    img: 'strawberry.jpg',
    price: 450,
  },
  {
    name: 'ライム',
    img: 'lime.jpg',
    price: 400,
  },
  {
    name: 'マンゴー',
    img: 'mango.jpg',
    price: 500,
  },
  {
    name: 'レモン',
    img: 'lemon.jpg',
    price: 400,
  },
  {
    name: 'イチジク',
    img: 'fig.jpg',
    price: 500,
  },
```

> メニュー名

> 値段

> JavaScriptにメニュー名、値段などの情報がある

```
    {
      name: 'リンゴ',
      img: 'apple.jpg',
      price: 400,
    },
];

for(let i = 0; i < lists.length; i++){
  const {name, img, price} = lists[i];
  const content = `<div><img src="images/${img}" alt=""><h2>${name}</h2><p>${price}円</p></div>`;
  menu.insertAdjacentHTML('beforeend', content);
}
```

css css/style.css

```
body {
    text-align: center;
    font-family: 'Kiwi Maru', serif;
}
#menu {
    display: grid;
    gap: 30px;
    grid-template-columns: repeat(auto-fit, minmax(300px, 1fr));
    max-width: 1020px;
    margin: auto;
    padding: 30px;
}
img {
    width: 100%;
    aspect-ratio: 4 / 3;
    object-fit: cover;
}
h1 {
    margin: 30px 0;
    font-size: 40px;
}
h2 {
    margin-top: 6px;
}
```

■ ディレクトリ構成

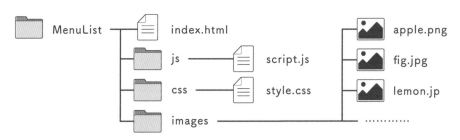

5-2
CHAPTER

insertAdjacentHTMLで
HTMLタグを挿入しよう

この章では画像やテキストなど、HTMLタグを含めたコンテンツをJavaScript によって挿入します。まずはその基本の書き方をおさえておきましょう。

空のdivを用意する

▶ サンプルデータ
chapter5/02-demo

HTMLでは「menu」というIDがついた`<div>`タグを用意します。中にテキストなどの要素はなく空の状態です。ここに画像やテキストなどを入れるようJavaScriptで指示していきます。

📄 index.html

```html
<!DOCTYPE html>
<html lang="ja">
<head>
    （・・・省略・・・）
</head>
<body>
    <h1>Fruit Juice</h1>
    <div id="menu"></div>
</body>
</html>
```

「menu」というIDがついた`<div>`タグ

CSSでは複数の画像をタイル状に並べるための記述などをしていますが、レイアウトを整える以外特別な指定はありません。

📄 css/style.css

```css
body {
    text-align: center;
    font-family: 'Kiwi Maru', serif;
}
#menu {
    display: grid;
    gap: 30px;
    grid-template-columns: repeat(auto-fit, minmax(300px, 1fr));
    max-width: 1020px;
    margin: auto;
    padding: 30px;
}
img {
    width: 100%;
```

```
        aspect-ratio: 4 / 3;
        object-fit: cover;
}
h1 {
        margin: 30px 0;
        font-size: 40px;
}
h2 {
        margin-top: 6px;
}
```

　JavaScriptではID「menu」のdivを定数「menu」に入れています。また、挿入したいコンテンツ内容をテンプレート文字列で定数「content」にまとめています。定数「content」は「images」フォルダー内に保存している「strawberry.jpg」というイチゴジュースの画像をdivに入れておくという内容です。この時点ではそれぞれを定数に入れただけなのでindex.htmlを開いて確認しても何も表示されません。

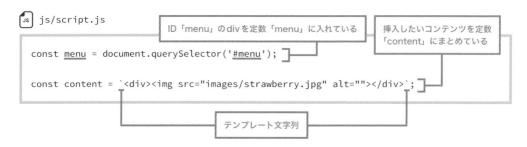

js/script.js

```
const menu = document.querySelector('#menu');

const content = `<div><img src="images/strawberry.jpg" alt=""></div>`;
```

ID「menu」のdivを定数「menu」に入れている

挿入したいコンテンツを定数「content」にまとめている

テンプレート文字列

　続けて、この定数「menu」に定数「content」の内容を入れたいわけですが、これまでは「textContent」を使って文字列などを表示してきました。試しにその方法で画像が表示されるか書いてみましょう。

js/script.js

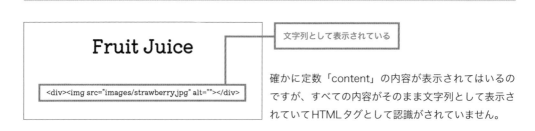

```
const menu = document.querySelector('#menu');

const content = `<div><img src="images/strawberry.jpg" alt=""></div>`;
menu.textContent = content;
```

追加した

Fruit Juice

`<div><img src="images/strawberry.jpg" alt=""></div>`

文字列として表示されている

確かに定数「content」の内容が表示されてはいるのですが、すべての内容がそのまま文字列として表示されていてHTMLタグとして認識がされていません。

■ insertAdjacentHTML() を使ってHTMLとして表示させる

そこで使えるのがinsertAdjacentHTML()メソッドです。HTMLを挿入したい要素を指定し、カッコの中には第一引数にHTMLの挿入位置、第二引数に挿入したい内容を指定します。

📄 記述例

```
要素.insertAdjacentHTML('挿入位置', 挿入内容);
```

挿入位置は以下の4つが指定できます。

- beforebegin … 要素の直前に挿入
- afterbegin …… 要素内部の、最初の子要素の前に挿入
- beforeend …… 要素内部の、最後の子要素の後に挿入
- afterend ……… 要素の直後に挿入

```
← beforebegin
<div>
        ← afterbegin
  HTMLを挿入したい！
        ← beforeend
</div>
← afterend
```

それでは先ほどの「menu.textContent = content;」はコメントアウトして、insertAdjacentHTML()メソッドを使って書いてみましょう。HTMLを挿入したい要素は定数「menu」です。

カッコの中の挿入位置は「beforeend」にして、divの閉じタグの直前に要素を追加できるようにします。この挿入位置は文字列としての扱いになるのでシングルクォーテーションで囲む必要があります。挿入内容は定数「content」です。文字列ではなく定数名を呼び出すので、こちらはシングルクォーテーションは不要です。

📄 js/script.js

```
const menu = document.querySelector('#menu');

const content = `<div><img src="images/strawberry.jpg" alt=""></div>`;
//menu.textContent = content;          ← コメントアウトした
menu.insertAdjacentHTML('beforeend', content);   ← 追加した
```

Fruit Juice

イチゴジュースの画像が表示されました！ 文字列としてではなく、きちんとHTMLのタグとして認識されています。

※「textContent」に似た書き方でHTMLタグが使える「innerHTML」もあります。こちらの「innerHTML」はHTMLタグを追加するのではなく置換するため、元々あったHTML要素がなくなります。イベントを設定した際に意図しない動作を招く恐れもあるので本書では使用しません。

Google Fontsを使ってみよう

この章のデモでは「Kiwi Maru」というかわいらしいフォントを使用しています。このフォントはGoogle社が提供している「Google Fonts（Googleフォント）」というWebサービスを利用しています。Google Fontsでは日本語のフォントも含め、世界中の多くの言語のフォントを無料で利用できます。

使い方はGoogle FontsのWebサイト（https://fonts.google.com/）にアクセスして、利用したいフォントをクリックします。フォント名がわかっている場合は画面左上の「Search fonts」からフォント名を検索するといいでしょう。

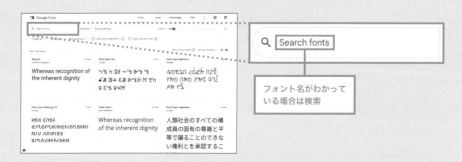

続いて使いたいフォントの太さをクリックします。ここでは「Regular 400」を選択しました。

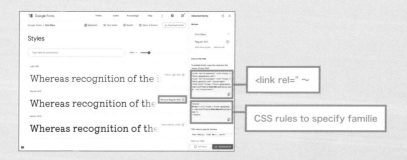

画面右側に選択したフォントが表示されます。もし画面右側にリストが出てこない場合は、ページ右上にある四角と［＋］マークのアイコンをクリックすると表示されます。<link rel=" から始まるコードをHTMLのhead内に記述します。

index.html

```
<!DOCTYPE html>
<html lang="ja">
<head>
    <meta charset="UTF-8">
    <meta name="viewport" content="width=device-width, initial-scale=1.0">
    <title>メニューリスト</title>
    <link rel="stylesheet" href="https://unpkg.com/ress/dist/ress.min.css">
    <link rel="preconnect" href="https://fonts.googleapis.com">
    <link rel="preconnect" href="https://fonts.gstatic.com" crossorigin>
     <link href="https://fonts.googleapis.com/css2?family=Kiwi+Maru&displ
ay=swap" rel="stylesheet">
    <link rel="stylesheet" href="css/style.css">
    <script src="js/script.js" defer></script>
</head>
<body>
    <h1>Fruit Juice</h1>
    <div id="menu"></div>
</body>
</html>
```

HTMLのhead内に記述

　そして「CSS rules to specify families」に書かれたコードをフォントに適用させたい要素に記述します。このサンプルでは<body>タグに適用させました。

css/style.css

```
body {
    text-align: center;
    font-family: 'Kiwi Maru', serif;
}
```

<body>タグに適用

　Webページ全体のフォントが変更されました。フォントが変わるだけで印象も大きく変わります。

5-3
CHAPTER

配列で複数の画像のファイル名をまとめよう

前節ではイチゴジュースの画像を表示できましたが、この章で作成するページでは複数のジュースの画像を表示させます。複数あるデータをまとめて利用する便利な方法を紹介します。

▶ サンプルデータ
chapter5/03-demo

配列とは

今回表示させたい画像は以下の6つです。

- strawberry.jpg
- lime.jpg
- mango.jpg
- lemon.jpg
- fig.jpg
- apple.jpg

これらをプログラムで扱うために1つひとつを定数にしていくとしましょう。

ここで課題となるのは定数の数が膨大になることです。コピー＆ペーストをして記述してもミスが増えそうですし、管理も大変になりそうです。

JS 例

```
const list1 = 'strawberry.jpg';
const list2 = 'lime.jpg';
const list3 = 'mango.jpg';
const list4 = 'lemon.jpg';
const list5 = 'fig.jpg';
const list6 = 'apple.jpg';
```

> 定数の数が膨大になってしまう！

そこで**配列**というデータ型を使います。配列を使うと、1つの定数で複数のデータをまとめてグループ化できるので、値が増えても定数を増やす必要はありません。P.070「3-7　定数でコードをスッキリまとめよう」で定数は1つの箱であると例えましたが、配列は複数のものを入れておける仕切りのついた箱と考えるといいでしょう。

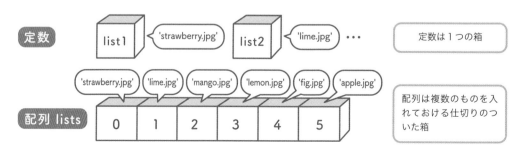

配列に入れられる値のことを配列の**要素**と呼びます。また、各要素が入れられるスペースは「0」から始まる番号が割り振られています。この番号のことを**インデックス**と言います。この要素とインデックスを組み合わせることで「○○の箱の中にある△番目のデータ」というように、配列の定数名と番号を使って中身のデータを指し示せるようになります。そうすることで、たとえ配列の中身が100個や1000個と増えたとしても定数名は同じものが使えるため、データへのアクセスが簡単になるわけです。

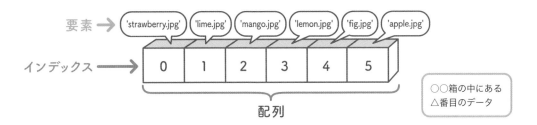

配列の「要素」は、HTMLの「要素」と同じ呼び方ですが、別のものなので混同しないようにしましょう。

配列の書き方

配列の基本的な書き方を見ていきましょう。配列を作成するときは「[ ]（角カッコ）」を使います。そしてその中に必要な要素を「,（カンマ）」で区切って記述します。1つの配列に登録できる要素の数に制限はありません。

📄 記述例

```
const 定数名 = [要素1, 要素2, 要素3, 要素4, 要素5];
```

また、格納するデータ型はなんでもOKです。異なるデータ型が混ざっていても問題ありませんが、配列の扱いが複雑になる可能性も出てくるので注意が必要です。

📄 記述例

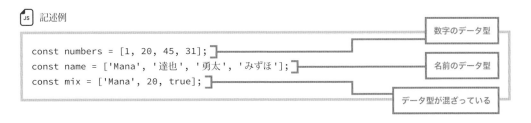

それではメニューリストにも配列を使ってみましょう。現在イチゴジュースの画像のみ表示されていますが、他のジュースの味も掲載するために配列を使って管理します。まずは定数「lists」を作成し、角カッコを使って必要なファイル名を文字列で記述していきましょう。この際、要素と要素の間に「,（カンマ）」を使って区切ることを忘れずにしましょう。

なお、配列は1行に続けて書いてもかまいませんが、要素を一覧で見やすくするために、この例では改行をしています。

`JS` js/script.js

```
const menu = document.querySelector('#menu');

const lists = [
    'strawberry.jpg',
    'lime.jpg',
    'mango.jpg',
    'lemon.jpg',
    'fig.jpg',
    'apple.jpg',
];

const content = `<div><img src="images/strawberry.jpg" alt=""></div>`;

menu.insertAdjacentHTML('beforeend', content);
```

ジュースを配列を使って管理

「,」を忘れずに入れます

作成した配列をコンソールで見てみましょう。配列の場合であっても、定数名を指定すれば配列の中身をコンソール上に出力できます。

`JS` js/script.js

```
const menu = document.querySelector('#menu');

const lists = [
    'strawberry.jpg',
    'lime.jpg',
    'mango.jpg',
    'lemon.jpg',
    'fig.jpg',
    'apple.jpg',
];
console.log(lists);

const content = `<div><img src="images/strawberry.jpg" alt=""></div>`;

menu.insertAdjacentHTML('beforeend', content);
```

定数名を指定

コンソールに配列の要素である画像のファイル名が表示されています。

　ここで、配列の前に (6) と記載がありますがこれは配列の要素の数を示しています（上の画像の左側の囲み）。

　その (6) の左側にある小さな三角形をクリックすると、配列の詳細を閲覧できます。

0番目に「strawberry.jpg」、5番目に「apple.jpg」というようにインデックスと一緒に管理されているのがわかります。

　今回はデータをひとまとめにしただけでWebページ上に表示はしていないので、見た目は特に変わりません。ブラウザーでもイチゴのジュース画像が表示されているままです。次節から登録した画像を呼び出していきましょう。

5-4
CHAPTER

配列の中にある画像を表示しよう

前節では配列をコンソール上に表示させることができました。ただ、これは配列という箱がそのまま表示されただけになります。本来は箱の中身を1つずつ取り出す必要があります。ここでは中身の取り出し方を見ていきましょう。

▌配列の中身である要素を取り出す方法

▶ サンプルデータ
chapter5/04-demo

配列の中に入っている要素を取り出すには、配列の定数名に続けて「[ ]（角カッコ）」を書き、その中に取り出したい要素のインデックス（番号）を指定します。

JS 記述例

```
配列 [ インデックス ]
```

例えば、「lists」という定数名のついた配列にある、最初の要素を取り出すには以下のように記述します。

JS 記述例

```
lists[0]
```

前節でも説明した通り、インデックスは「0」からはじまります。つまり、最初の要素、通常数えるところの1番目は配列では0番目となります。数え方が異なるので注意が必要です。

また、要素が存在しないインデックスを指定した場合は、「undefined」となります。この「undefined」は「定義されていない」という意味で、「その箱の指定された番号のスペースには何も入ってないよ」ということを表しています。

JS 例

```
const lists = [
    'strawberry.jpg',    ← インデックス0
    'lime.jpg',          ← インデックス1
    'mango.jpg',         ← インデックス2
    'lemon.jpg',         ← インデックス3
    'fig.jpg',           ← インデックス4
    'apple.jpg',         ← インデックス5
    .........            ← undefined
];
```

それではメニューリストの続きを書いていきましょう。前節で「console.log(lists);」としていたところを、インデックスをつけた「console.log(lists[0]);」に書き換えてみます。

📄 js/script.js

```
const menu = document.querySelector('#menu');

const lists = [
    'strawberry.jpg',
    'lime.jpg',
    'mango.jpg',
    'lemon.jpg',
    'fig.jpg',
    'apple.jpg',
];
console.log(lists[0]);                                    書き換えた

const content = `<div><img src="images/strawberry.jpg" alt=""></div>`;

menu.insertAdjacentHTML('beforeend', content);
```

コンソールで確認すると、0番目の要素、つまり「strawberry.jpg」が出力されています。「0」のところを1〜5の番号に変えると、「lists」配列に登録した番号の画像のファイル名が表示されるので、試してみてください。

コンソールでの確認作業ができたら「console.log(lists[0]);」の部分をコメントアウトしておきましょう。

次に作業していくのは画像の表示です。変更するのは定数「content」の画像ファイル名の部分です。「strawberry.jpg」となっていたところを、テンプレート文字列で「${lists[0]}」に書き換えます。

```js
const menu = document.querySelector('#menu');

const lists = [
    'strawberry.jpg',
    'lime.jpg',
    'mango.jpg',
    'lemon.jpg',
    'fig.jpg',
    'apple.jpg',
];
//console.log(lists[0]);

const content = `<div><img src="images/${lists[0]}" alt=""></div>`;

menu.insertAdjacentHTML('beforeend', content);
```

書き換えた

ブラウザーで確認すると画像のファイル名として
「strawberry.jpg」が呼び出され、イチゴジュースの画
像が表示されています。

　これまでと変化がなくて、うまく配列内の要素が指定されているかわかりづらいので、別のイ
ンデックスでも試してみましょう。「${lists[0]}」としていたところを「${lists[1]}」に書き換えて、
インデックス「1」である「lime.jpg」を取り出してみます。

js/script.js

```js
const menu = document.querySelector('#menu');

const lists = [
    'strawberry.jpg',
    'lime.jpg',
    'mango.jpg',
    'lemon.jpg',
    'fig.jpg',
```

```
    'apple.jpg',
];
//console.log(lists[0]);

const content = `<div><img src="images/${lists[1]}" alt=""></div>`;

menu.insertAdjacentHTML('beforeend', content);
```

インデックス「1」を指定

Fruit Juice

「lime.jpg」が呼び出され、ライムジュースの画像が表示
されました！

　このWebページでは6個の画像を表示させたいので、「<div><img src="images/${lists[1]}"
alt=""></div>」の部分をコピー＆ペーストしてインデックスの数字を変更してみましょう。

js/ js/script.js

```
const menu = document.querySelector('#menu');

const lists = [
    'strawberry.jpg',
    'lime.jpg',
    'mango.jpg',
    'lemon.jpg',
    'fig.jpg',
    'apple.jpg',
];
//console.log(lists[0]);

const content = `<div><img src="images/${lists[0]}" alt=""></div>
    <div><img src="images/${lists[1]}" alt=""></div>
    <div><img src="images/${lists[2]}" alt=""></div>
    <div><img src="images/${lists[3]}" alt=""></div>
    <div><img src="images/${lists[4]}" alt=""></div>
    <div><img src="images/${lists[5]}" alt=""></div>
`;

menu.insertAdjacentHTML('beforeend', content);
```

コピー＆ペースト
して数字を変更

下線部分のインデックスの数字を変更

6個すべての画像が表示されました！

　ただ、せっかく1つの配列にまとめたのに、表示したいときに何度も同じようなコードを書くのは手間がかかり管理しづらいですね。

　でも大丈夫。よりよいコードの書き方があります。次節から学んでいきましょう！

COLUMN

—

配列を操作するメソッド

　配列には要素の追加や削除、順序を変更するなどの機能が備わっています。以下の配列がある前提で、代表的なメソッドを紹介します。

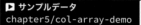

```js
const items = ['コーヒー', '紅茶', 'ジュース'];
```

メソッド	意味	例	結果
配列.pop()	配列の最後の要素を削除する	items.pop()	["コーヒー","紅茶"]
配列.push(要素)	配列の最後に要素を追加する	items.push('水')	["コーヒー","紅茶","ジュース","水"]
配列.shift()	配列の最初の要素を削除する	items.shift()	["紅茶","ジュース"]
配列.unshift(要素)	配列の最初に要素を追加する	items.unshift('水')	["水","コーヒー","紅茶","ジュース"]
配列.reverse()	配列の順序を逆にする	items.reverse()	["ジュース","紅茶","コーヒー"]
配列.join(区切り文字)	配列の要素を結合し、文字列として返す（要素の間を指定した区切り文字で区切れる。区切り文字は省略可能。省略した場合はカンマ , で結合される）	items.join('と')	"コーヒーと紅茶とジュース"
文字列.split(区切り文字)	文字列から指定した区切り文字で区切った配列を生成する	'ジュースと紅茶とコーヒー'.split('と')	["ジュース","紅茶","コーヒー"]

```
要素   コンソール   ソース   パフォーマンス
▶ top ▼  ⊘  👁  フィルタ
▶ (2) ['コーヒー', '紅茶']
▶ (4) ['コーヒー', '紅茶', 'ジュース', '水']
▶ (2) ['紅茶', 'ジュース']
▶ (4) ['水', 'コーヒー', '紅茶', 'ジュース']
▶ (3) ['ジュース', '紅茶', 'コーヒー']
コーヒーと紅茶とジュース
▶ (3) ['ジュース', '紅茶', 'コーヒー']
>
```

　本書では利用していませんが、こんな使い方も覚えておくといいでしょう。他にも様々なメソッドが用意されています。詳しくは以下を参照してください。

• Array - JavaScript | MDN

https://developer.mozilla.org/ja/docs/Web/JavaScript/Reference/Global_Objects/Array

5-5
CHAPTER

for文の繰り返し処理を理解しよう

何度も同じコードをコピー＆ペーストで書いていくのは大変ですし、メンテナンスもしづらくなります。また、プログラムは繰り返し処理が大の得意です。効率的な書き方を覚えて楽をしましょう。

繰り返しをするfor文

同じプログラムを繰り返し実行するには「for」という構文を使います。数え始める数や繰り返す条件などを指定して実行します。この構文は**for文**と呼ばれます。繰り返し行われる処理のことは**ループ処理**ともいい、繰り返し処理1回分を**ループ**と表現します。基本の書き方は次のようになっています。

▶ **サンプルデータ**
chapter5/05-demo1

JS 記述例

```
for(初回に実行する処理 ; 繰り返し条件 ; 各繰り返し後の処理){
    繰り返し実行する処理
}
```

あまり見慣れない形式が出てきましたので、簡単な例を見ながら内容を理解していきましょう。下のコードはコンソールに「こんにちは！」と10回表示させるものです。

JS 例

```
for(let i = 1; i <= 10; i++){
  console.log('こんにちは！');
}
```

これをコンソールで確認すると「こんにちは！」と表示されます。左側に「10」と出ているのは、同じものが10回表示されたという意味なので、うまく「for」を使った繰り返し処理ができているのがわかります。

前ページのコードを書けば、とりあえずfor文が動いたことが確認できます。ただ、丸カッコの中の記述は初見のものも多くて難しく、わかりにくいところがあります。次から1つひとつみていきましょう。

変数letとは

　突然コードに出てきたのが「**let**」です。これは**変数**といって、P.070「3-7　定数でコードをスッキリまとめよう」で紹介し、ここまで毎回使っている定数「const」によく似た値を入れておける箱のような役割を持ちます。

　使い方もほとんど同じで、「まずは変数を使います」と宣言をします。宣言には「let」というキーワードの後に半角スペースを入力し、その後に変数名を書きます。変数名をつけるときのルールは定数名のときと一緒です。そして、変数名の後に「＝（イコール）」を使って、変数に入れる値を指定します。

 記述例

```js
let 変数名 = 中に入れる値;
```

　なぜここだけ定数ではなく変数なのか？　というところですが、大きな違いとして「const」では値の再代入ができません。すでに値が入っている定数に、値を上書きして代入できないということです。for文では今何回繰り返したかを記憶させる箱のようなものが必要なのですが、「1回目、2回目、3回目…」と、繰り返し処理されるたびにこの回数部分が更新される、つまり再代入されるので、定数「const」ではなく、変数「let」を使います。なお、定数と変数の詳細はP.172「5-7　変数letと定数constの違いとは？」で紹介します。

初回に実行する処理

　前ページの例の「let i = 1;」の部分は初回に実行する処理を表します。ここでは変数「i」を作成し、その中に「1」を入れています。この変数は**ループカウンター**と呼ばれるものです。今まで解説してきた通り、for文では繰り返し処理を行うのですが、このループカウンターは何回目の繰り返し処理かを記憶させるためのものです。これは初回のみ実行されます。

 POINT

「i」という変数名に設定していますが、これはプログラミングの慣習として、繰り返し処理では「i」という変数名が広く使われているからです。変数名は自由につけてかまわないのですが、繰り返し処理のように広く使われている変数名については慣習にならって「i」にしておくといいでしょう。

▶ 繰り返し条件とは

「i <= 10;」の部分には繰り返し処理を実行するための条件を指定します。P.116「4-9　入力した文字数を数えてみよう　文字数によって表示を変えよう」で学習した比較演算子が使われているのがわかります。変数「i」が10以下であれば、「{ }」ブロック内の内容を実行するという意味になります。

変数「i」の初期値は「1」としたので、条件に当てはまるため、この処理は実行されます。その後、ループカウンターである変数「i」が1ずつ加算される繰り返し処理が続き、変数「i」が11になると条件に当てはまらなくなるため繰り返し処理は停止します。

▶ 各繰り返し後の処理とは

そして、毎回の処理の後で「i++」が実行されます。これは最初に作成した変数「i」の値を増やすという意味です。見慣れない記号の「i++」は「i = i + 1」と同じ意味で、各繰り返し処理の後に「i」を「1」増やします。このような「1を足す」や「1を引く」という指定は使う頻度が高いので、短い書き方があります。

「繰り返し条件」の部分は以下のどの書き方でも同じように動作します。

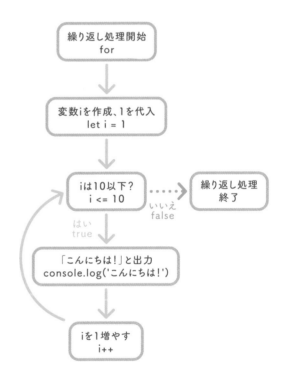

JS 記述例

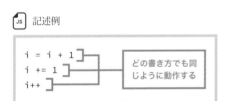

for文では左上の記述例の中でも一番短い、「++」という記号を変数につなぐだけの書き方が最もよく使われています。今回の例ではその後、条件式に戻って、条件の「i <= 10;」が「false」になるまで処理を繰り返します。

✓ POINT

「i++」の後には「;（セミコロン）」を書いてはいけません。「書かなくてもよい」のではなく、書くとエラーになってプログラムが停止します。そういう文法であると覚えておきましょう。

変数 i の値を表示する

▶ サンプルデータ
chapter5/05-demo2

「変数iに1を足して…それを繰り返す…」ということはなんとなくつかめたかと思いますが、実際に変数「i」に何が起こっているのか、いまいちピンとこないかもしれません。

そこで、コンソールに変数「i」の値を出力してみましょう。「console.log()」のパラメーターを「`（バックティック）」で囲みテンプレート文字列にして、変数「i」を「${i}」として埋め込みます。

JS 例

```
for(let i = 1; i <=10; i++){
    console.log(`${i}回目のこんにちは！`);
}
```

書き換えた

	要素	コンソール	ソース
▶ 🚫	top ▼	👁	フィルタ

1回目のこんにちは！
2回目のこんにちは！
3回目のこんにちは！
4回目のこんにちは！
5回目のこんにちは！
6回目のこんにちは！
7回目のこんにちは！
8回目のこんにちは！
9回目のこんにちは！
10回目のこんにちは！

>

出力されるたびに「1」が足され、回数の数字が増えていくのがわかります。

このようにfor文を使うことで、必要なコードをコピー＆ペーストして書き換える…なんて面倒な作業から解放されます。次節からはこのfor文を使って配列に登録した画像を表示してみましょう！

5-6
CHAPTER

for文で画像を一覧表示しよう

for文の書き方がわかったところで、メニューリストの続きを書いていきましょう。この節では同じコードを繰り返し記述していたところを、for文でまとめていきます。

配列をfor文で扱う

▶ サンプルデータ
chapter5/06-demo

配列は繰り返し処理するfor文と相性がよく、配列をfor文で扱うことで簡単にすべての内容を表示できるようになります。

P.158「5-4　配列の中にある画像を表示しよう」では配列「lists」の最初の画像ファイル名は「lists[0]」で取得できました。このときの最後の画像のファイル名は「lists[5]」で、角カッコの数字が0から5まで、1ずつ増えています。そこで、角カッコの中にループカウンターを設定してみましょう。

前節と記述内容はほぼ変わりません。ただ、開始の数字を0としたいので、「let i = 0;」、そして繰り返し条件は「i < 6;」にして、6未満、つまり5までのインデックスを取得できるようにします。

「{ }」ブロック内に、用意してあった定数「content」とHTMLタグを挿入するコードを入れ、「lists[0]」としていた角カッコの数字を「i」に変更して「lists[i]」にします。

📄 js/script.js

```javascript
const menu = document.querySelector('#menu');

const lists = [
    'strawberry.jpg',
    'lime.jpg',
    'mango.jpg',
    'lemon.jpg',
    'fig.jpg',
    'apple.jpg',
];

for(let i = 0; i < 6; i++){
    const content = `<div><img src="images/${lists[i]}" alt=""></div>`;
    menu.insertAdjacentHTML('beforeend', content);
}
```

for文で配列から画像を追加する

Webページの見た目は変わりませんが、コードはすっきりとまとめられました。

lengthで要素の数を取得する

　無事、画像が表示されたのでこのままでもいいと言えばいいのですが、仮に今後画像を増やすことになり、配列の要素数が変わったとしましょう。そうなるとfor文の繰り返し条件の部分も書き換えが必要になります。配列の内容が変わる度に数を書き換えるのは面倒です。そこで、配列の要素数を取得できる「length」を使うといいでしょう。

　「length」はP.112「4-8　入力した文字数を数えてみよう lengthでカウントしよう」で登場しました。そこでは文字数を取得するために利用しましたが、この「length」は配列の要素の数も数えられます。配列の定数名「lists」のあとに「length」を「.（ピリオド）」でつなぐだけでOKです。

　試しにfor文の上に「console.log(lists.length);」を追加してみましょう。

📄 js/script.js

```
const menu = document.querySelector('#menu');

const lists = [
    'strawberry.jpg',
    'lime.jpg',
    'mango.jpg',
    'lemon.jpg',
    'fig.jpg',
    'apple.jpg',
];
console.log(lists.length);

for(let i = 0; i < 6; i++){
    const content = `<div><img src="images/${lists[i]}" alt=""></div>`;
    menu.insertAdjacentHTML('beforeend', content);
}
```

「length」で配列の要素数を取得

コンソールに配列「lists」の要素の数である「6」が表示されました。

あとはこの「lists.length」をfor文の繰り返し条件の部分に書き換えれば完成です。

📄 js/script.js

```javascript
const menu = document.querySelector('#menu');

const lists = [
    'strawberry.jpg',
    'lime.jpg',
    'mango.jpg',
    'lemon.jpg',
    'fig.jpg',
    'apple.jpg',
];
//console.log(lists.length);

for(let i = 0; i < lists.length; i++){
    const content = `<div><img src="images/${lists[i]}" alt=""></div>`;
    menu.insertAdjacentHTML('beforeend', content);
}
```

lists.lengthを使って書き換えた

これで配列の要素の数が変更されたとき、「length」で取得できる数字は自動的に更新されます。このようにfor文での繰り返し処理を使えば、多くの要素があってもすっきりとコードを記述することができます。書き方に慣れておきましょう。

COLUMN

—

無限ループに要注意

　for文は繰り返し条件に当てはまるかぎり、ずっと繰り返し処理を実行し続けます。もしもコードを打ち間違えたり、思い違いをして、常にtrueを返し続ける条件式を書いてしまうと、for文は終了できなくなってしまいます。この終了できなくなる状態を「**無限ループ**」と呼びます。

　無限ループが発生すると、ブラウザーが一切の操作を受け付けなくなり、いずれパソコン自体がフリーズしてしまう可能性もあります。

　例えば次のコードは繰り返し条件式に「 i >= 1; 」とあり、「変数iが1以上であれば処理を実行する」という内容になっています。「i++」で変数iは毎回1ずつ加算されるので、常に条件に当てはまり続けます。つまり無限ループの発生です（実行はしないでください！）。

JS 例

```js
for(let i = 1; i >= 1; i++){
  console.log('無限ループです！');
}
```

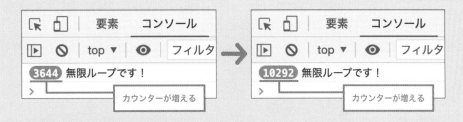

　上記コードを実行し、無限ループが発生すると、ものすごい勢いでコンソールのカウンターが増えていきます。なお、もしも誤って無限ループが発生してしまっても、通常は実行したページのタブやウィンドウを閉じれば問題ありません。ブラウザーが反応しなくなったときは、Macなら ⌘ ＋ option ＋ esc キー（Windowsなら Ctrl ＋ Alt ＋ Delete キーでタスクマネージャーを立ち上げ）で止まってしまったブラウザーを選択し、アプリケーションを強制終了しましょう。

変数letと定数constの違いとは？

P.164「5-5　for文の繰り返し処理を理解しよう」で初めて出てきた変数が「let」です。constとの一番の違いは再代入できるかどうかであると説明しました。この節でより詳しく学びます。

再代入とは

プログラムで扱う文字列や数値、式などは、箱のようなものに入れて使い回します。この箱には中身を変更できる変数「let」と、最初から最後まで中身が変わることのない定数「const」があります。箱の中身を変更することを**再代入**といいます。詳しくみていきましょう。

letで再代入してみる

再代入とは実際にどういうことなのか、コンソールを使ってみていきましょう。

「let letName」で「letName」という変数を作成し、その中に「マナ」という文字列を代入しました。「console.log()」でコンソールに変数「letName」を出力します。

JS 例

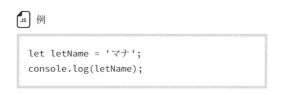

```
let letName = 'マナ';
console.log(letName);
```

変数「letName」に代入された文字列「マナ」がコンソールに出力されます。ここまでは想定通りかと思います。続いてこの変数「letName」に別の値を代入、つまり再代入してみます。再代入するとき、変数名の前に「let」は書きません。

JS 例

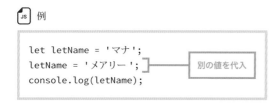

```
let letName = 'マナ';
letName = 'メアリー';          別の値を代入
console.log(letName);
```

すると、変数「letName」の値が変更されて、「メアリー」が出力されました。これが「再代入された」ということです。

変数の中にある値が再代入されたとき、元々あった値は削除されます。

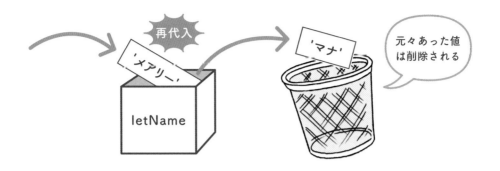

constで再代入してみる

それでは定数「const」を使って再代入するとどうなるのか見てみましょう。先ほどの変数「let」を使った例と同じように、まずは「const constName」で「constName」という定数を作成し、その中に「大本」という文字列を代入しました。「console.log()」でコンソールに定数「constName」を出力します。

```
const constName ='大本';
console.log(constName);
```

コンソールに「大本」と表示されます。続いてこの定数「constName」に別の値を再代入します。

別の値を再代入した

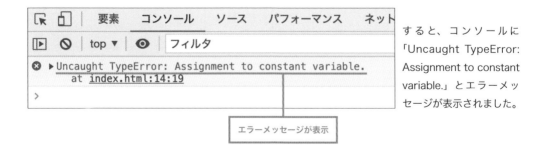

エラーメッセージが表示

すると、コンソールに「Uncaught TypeError: Assignment to constant variable.」とエラーメッセージが表示されました。

これは「定数を書き換えようとしているよ！ だめだよ！」という意味です。エラーが起きるとそれ以降のコードは無視されるため、その後の「console.log(constName);」は実行されません。

どう使い分けるのか

これだけみると、できることが多くてエラーも出にくい変数「let」の方が使い勝手がよさそうに見えるかもしれません。しかし、近年のJavaScriptの書き方としては、定数の「const」を積極的に使います。

「const」を使うことには以下のようなメリットがあります。

- 意図せず別の値を再代入してしまうミスを防げる
- コードを読むときに、値が再代入されている可能性を考える必要がない

そのため、基本的には定数「const」を使い、再代入が必要な場合のみ変数「let」を使うといいでしょう。

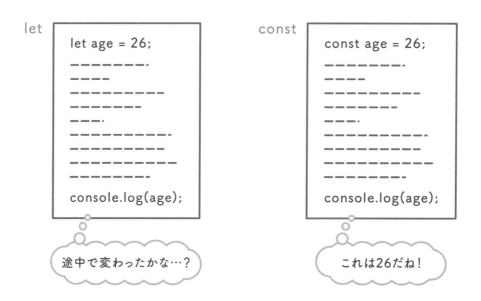

5-8 CHAPTER
オブジェクトで画像、メニュー名、値段をまとめよう

この章で作成するメニューリストは、最終的に画像に加えてメニュー名や値段も一緒に掲載します。各メニューの情報をひとまとめに管理するオブジェクトについて学びましょう。

▶ サンプルデータ
chapter5/08-demo

■ オブジェクトとは

「450円です。」

突然ですがこんなことを言われても意味がわかりませんよね。

「メニュー名はイチゴジュースです。画像ファイルはstrawberry.jpgです。値段は450円です。」

と言われるのはどうでしょうか?

前者は意味がわかりませんが後者はイチゴジュースの説明をしているのだとわかると思います。このように情報はバラバラになっているとうまく伝わりません。意味を正しく伝えるためには情報をひとまとめにして管理をする必要があります。

そこでJavaScriptの複数のデータをひとまとまりにした**オブジェクト**を使います。すでに解説した配列は番号でデータにアクセスしましたが、オブジェクトはさらに任意の名前が使えます。以前、配列を「仕切り付きの箱」と表現しましたが、オブジェクトはその仕切りにわかりやすいラベルが貼ってあるイメージと言えます。

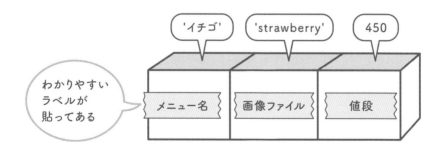

オブジェクトの記述方法を学ぶ前に、もう少しオブジェクトについてイメージを明確にしておきましょう。オブジェクトは日本語で物体や対象という意味なので、あらゆるものがオブジェクトであると言えます。例えば身近にある「ノート」「犬」「紅茶」を例にしてみましょう。

プロパティ、キー、値とは

　「ノート」というオブジェクトを見てみると、「サイズ」や「ページ数」、「値段」のデータを持っています。この項目ごとに分かれているデータのことを**プロパティ**と言います。そして項目名を**キー**（プロパティ名）と言い、キーに対する内容を**値**と言います。

　下のノートの例だと「サイズ」がキーで、「A6」が値になります。

「ノート」というオブジェクト

キー	値
サイズ	A6
ページ数	150
値段	300

「犬」というオブジェクト

名前	ソフス
毛の色	白
年齢	3

「紅茶」というオブジェクト

茶葉	ダージリン
販売店	WCB Cafe
ミルクティー	false

オブジェクトの書き方

　それではオブジェクトの書き方をみていきましょう。オブジェクトは「{ }（波カッコ）」を使います。配列と同じように一般的には定数に保存するので、まずはこのような書き出しになります。

JS 記述例

```
const 定数名 = {};
```

続いて波カッコの中に前述のキーと値の組み合わせであるプロパティを書いていきます。

記述例

```
const 定数名 = {
    キー: 値
};
```

追加した

プロパティが複数ある場合は「,（カンマ）」で区切ります。ただし、最後のプロパティのカンマは省略可能です。

記述例

```
const 定数名 = {
    キー1: 値1,
    キー2: 値2,
    キー3: 値3,
};
```

プロパティが複数ある場合

「,」で区切る

オブジェクトの構造

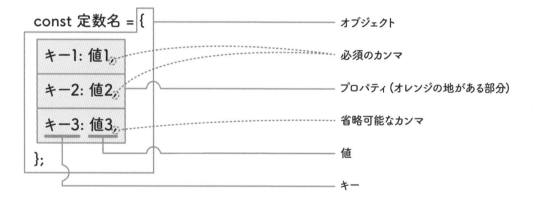

```
const 定数名 = {
    キー1: 値1,
    キー2: 値2,
    キー3: 値3,
};
```

- オブジェクト
- 必須のカンマ
- プロパティ（オレンジの地がある部分）
- 省略可能なカンマ
- 値
- キー

プロパティの書き方

プロパティはオブジェクトの持つ各データのことです。登録できるプロパティの数に制限はありません。最後の「,」は省略できますが、今後追加や削除などする場合に管理しやすくなるのでつけておくといいでしょう。コードは読みやすくするため、各プロパティを改行することが多いですが、必須ではありません。プロパティは次に説明するキーと値との組み合わせで構成されます。

キーの書き方

キーはプロパティの左側にあるデータの項目名のことです。定数と同じように好きな名前が付けられます。値との間を「:（コロン）」で区切ります。

値の書き方

値はプロパティの右側にあるデータの内容です。値のデータ型に制限はなく、文字列や数値はもちろん、配列、オブジェクト、関数なども値として格納できます。慣例として読みやすさのためにキーとの区切りである「:（コロン）」と値の間に半角スペースを入れますが、このスペースはなくても構いません。

それでは実際にメニューリストのページにオブジェクトを書いてみましょう。

📄 js/script.js

```js
const menu = document.querySelector('#menu');

const strawberry = {
    name: 'イチゴ',
    img: 'strawberry.jpg',
    price: 450,
};

const lists = [
    'strawberry.jpg',
    'lime.jpg',
    'mango.jpg',
    'lemon.jpg',
    'fig.jpg',
    'apple.jpg',
];

for(let i = 0; i < lists.length; i++){
    const content = `<div><img src="images/${lists[i]}" alt=""></div>`;
    menu.insertAdjacentHTML('beforeend', content);
}
```

オブジェクトを追加した

ここで作成した「strawberry」オブジェクトには3つのデータがまとめられています。

キー	値	意味
name	'イチゴ'	メニュー名
img	'strawberry.jpg'	画像ファイル
price	450	値段

 POINT

メニュー名と画像ファイルは文字列として登録していますが、値段は数値としています。今回のケースでは文字列として扱っても構いませんが、数値にしておけば、あとから計算したり、値段順に並べ替えるなどの機能をつけられます。

それではコンソールでオブジェクト全体を出力してみましょう。

📄 js/script.js

```js
const menu = document.querySelector('#menu');

const strawberry = {
    name: 'イチゴ',
    img: 'strawberry.jpg',
    price: 450,
};
console.log(strawberry);                                    コンソールに出力

const lists = [
    'strawberry.jpg',
    'lime.jpg',
    'mango.jpg',
    'lemon.jpg',
    'fig.jpg',
    'apple.jpg',
];

for(let i = 0; i < lists.length; i++){
    const content = `<div><img src="images/${lists[i]}" alt=""></div>`;
    menu.insertAdjacentHTML('beforeend', content);
}
```

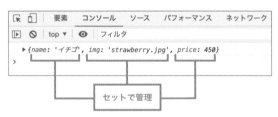

値がキーとセットで管理されているのがわかります。なお、ここで「Object」とだけ表示された場合は、ページを更新して再度確認してみてください。

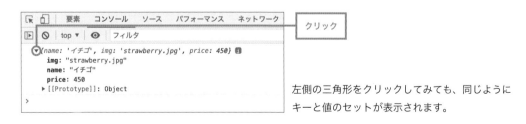

左側の三角形をクリックしてみても、同じようにキーと値のセットが表示されます。

　この段階ではまだ情報をまとめただけなので、次のページから1つひとつのデータを取得していきます。

5-9

CHAPTER

オブジェクトの情報を取得しよう

実際にWebページ上に表示させたいのはメニュー名や画像、値段になります。
それぞれの値を個別に取得する方法をおさえておきましょう。

▒ 2つの方法で値を取得する

配列の場合は、それぞれの番号、インデックスを使って値を取得していました。しかし、オブジェクトにはインデックスがありません。かわりにあるのがキーです。キーを指定して値を取得することになります。書き方は次の2通りがあります。

▶ ドット記法

オブジェクトに「.（ドット）」とキーをつなげて書く方法です。

JS 記述例

```
オブジェクト名.キー
```

例えば「strawberry」というオブジェクトの「name」というキーを指定するなら以下のような書き方になります。

JS 記述例

```
strawberry.name
```

▶ ブラケット記法

もう1つはオブジェクト名のあとに「[ ]（角カッコ）」を書き、その中にキーを文字列として書く方法です。配列の値を取得するときに似た書き方ですが、キーは文字列として扱うので、シングルクォーテーション（またはダブルクォーテーション）で囲む必要があります。

JS 記述例

```
オブジェクト名['キー']
```
シングルクォーテーション（またはダブルクォーテーション）で囲む

前述の例だと以下のような書き方になります。

JS 例

```
strawberry['name']
```

実際にコンソールに出力するよう書いてみましょう。1つはドット記法で「name」キーを、もう1つはブラケット記法で「img」キーを指定しました。

JS js/script.js

```
const menu = document.querySelector('#menu');

const strawberry = {
    name: 'イチゴ',
    img: 'strawberry.jpg',
    price: 450,
};
console.log(strawberry.name);          ─────── ドット記法
console.log(strawberry['img']);        ─────── ブラケット記法

const lists = [
    'strawberry.jpg',
    'lime.jpg',
    'mango.jpg',
    'lemon.jpg',
    'fig.jpg',
    'apple.jpg',
];

for(let i = 0; i < lists.length; i++){
    const content = `<div><img src="images/${lists[i]}" alt=""></div>`;
    menu.insertAdjacentHTML('beforeend', content);
}
```

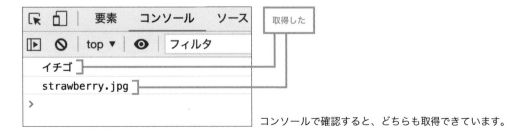

コンソールで確認すると、どちらも取得できています。

どちらの記法を使えばいいか

2つの記法を一気に紹介したので、どちらを使えばいいのか混乱させてしまったかもしれません。基本的には書きやすくて見た目もシンプルなドット記法で問題ありません。

ただし、キーを指定する際に定数や変数を利用したい場合は、ブラケット記法にする必要があります。例えば「key」という定数を用意し、その中にキーである「name」を文字列として格納しておきます。そして定数名「key」を使って値を取得できるのはブラケット記法のみです。ドット記法を使うとundefinedとなってしまいます。

 例

```js
const strawberry = {
    name: 'イチゴ',
    img: 'strawberry.jpg',
    price: 450,
};

const key = 'name';                          ┌──────────┐
                                             │ ドット記法 │
console.log(strawberry.key);                 └──────────┘
console.log(strawberry[key]);                ┌──────────────┐
                                             │ ブラケット記法 │
                                             └──────────────┘
```

ブラケット記法のみ取得できる

2つの書き方を混在してしまうと読みにくくなってしまうので、基本的にはドット記法で統一するといいでしょう。キーを定数で指定する必要がある場合に限りブラケット記法を使う、というように分けるといいですね。

ここまででイチゴジュースの情報はまとめられましたが、全部で6つのメニューがあります。次節では各メニューのオブジェクトも用意しましょう。

COLUMN

—

最初に紹介したオブジェクトとの違い

　この章でオブジェクトという言葉が出てきて「あれ？」と気づいた方もいるかと思います。そう、P.038「2-4　JavaScriptを書くときの基本ルール」で『window』は動作させる対象となるオブジェクトである」と紹介しました。これはJavaScriptにあらかじめ用意されているオブジェクトで、「**組み込みオブジェクト**」や「**ビルトインオブジェクト**」と呼ばれています。

　どのページでも構わないので、デベロッパーツールのコンソールを開いて「window」と入力し、 return （または Enter ）キーを押してみましょう。P.175「5-8　オブジェクトで画像、メニュー名、値段をまとめよう」で出力したようなオブジェクトのキーや値が表示されています。最初に紹介した「window」オブジェクトも、この章で1から作成しているオブジェクトも、同じようなものであることがわかります。

　さらに左側の三角形をクリックすると、膨大な量のプロパティが表示されます。

クリックすると膨大なプロパティが表示される

　この中で見覚えのあるものは、P.132「4-14　ページのスクロール量を表示しよう スクロール量を取得しよう」で登場した、スクロール位置を取得する「window.scrollY」でしょうか。これは「window」オブジェクトの「scrollY」キーをドット記法で指定していたわけですね。

```
screenY: 52
▶ scroll: ƒ scroll()
▶ scrollBy: ƒ scrollBy()
▶ scrollTo: ƒ scrollTo()
  scrollX: 0
  scrollY: 957.5
▶ scrollbars: BarProp {visible: true}
▶ self: Window {window: Window, self: Window, document: document, name: '', location: Location, …}
▶ sessionStorage: Storage {length: 0}
```

scrollY

　それではオブジェクトと同じくP.038「2-4　JavaScriptを書くときの基本ルール」で紹介されたメソッドとはなんだったのでしょうか？　この章で作成したプロパティの値には文字列と数値しか入れていませんが、プロパティの値に関数を入れておくことも可能です。プロパティの値が関数の場合は、そのプロパティを特別に**メソッド**と呼びます。

　例えば下の例では「greeting」という定数に入れたオブジェクトのキーがmessage、値は関数になっています。これがメソッドです。呼び出すときは「オブジェクト名.キー();」という形になるため、最初に紹介した「window.alert();」と同じ形になります。

 例

▶ サンプルデータ
chapter5/col-demo

```javascript
const greeting = {
  message: function() {
    console.log('こんにちは！');
  },
};
greeting.message();
```

※メソッドのあるオブジェクトも作成できます。ただ、少し複雑な内容なので本書では紹介していません。
　興味がある方は以下を参照してください。
　●メソッド定義 - JavaScript | MDN
　https://developer.mozilla.org/ja/docs/Web/JavaScript/Reference/Functions/Method_definitions

5-10 CHAPTER

配列とオブジェクトを組み合わせてデータをひとまとめにしよう

前節ではイチゴジュースのオブジェクトのみを作成しましたが、この節では6つすべてのジュースのオブジェクトを作成していきましょう。配列とオブジェクトを組み合わせてデータをひとまとめにしましょう。

▶ サンプルデータ
chapter5/10-demo

配列にオブジェクトを入れる

複数のオブジェクトをひとまとめにするには、配列を使います。仕切りのついた箱の中に、さらに仕切りのついた箱が入る…というイメージです。一見すると複雑そうに思えますが、そうすることで、各オブジェクトにインデックスがつき、for文を使った一覧表示なども容易にできるようになります。

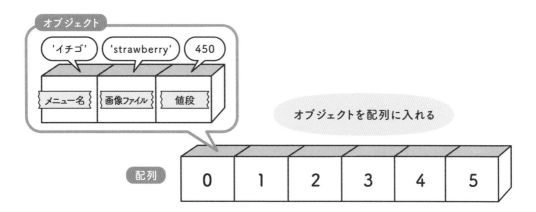

配列はP.154「5-3 配列で複数の画像のファイル名をまとめよう」で学んだように、「[ ]（角カッコ）」で囲み、各要素を「,（カンマ）」で区切るのでした。また、ここまでで作成しているscript.jsファイルには以下の「lists」という配列が記述できています。

📄 js/script.js

```
const lists = [
    'strawberry.jpg',
    'lime.jpg',
    'mango.jpg',
    'lemon.jpg',
    'fig.jpg',
    'apple.jpg',
];
```

この元々書いていた「lists」配列の要素である画像のファイル名は文字列なので、シングルクォーテーションで囲んでいました。しかし、これから書き換えようとしているのはオブジェクトなので、それぞれの要素部分を「{ }（波カッコ）」で囲み、以下のような塊になります。

📄 js/script.js

```
const lists = [
    { イチゴのオブジェクト },
    { ライムのオブジェクト },
    { マンゴーのオブジェクト },
    { レモンのオブジェクト },
    { イチジクのオブジェクト },
    { リンゴのオブジェクト },
];                                                          波カッコで囲む
```

　そして、波カッコの中にはキーと値がセットになったプロパティが入るのでした。前節のオブジェクト「strawberry」をベースに、「lists」配列の中身をオブジェクトに書き換えます。値は以下のように設定しましょう。

インデックス	name	img	price
0	'イチゴ'	'strawberry.jpg'	450
1	'ライム'	'lime.jpg'	400
2	'マンゴー'	'mango.jpg'	500
3	'レモン'	'lemon.jpg'	400
4	'イチジク'	'fig.jpg'	500
5	'リンゴ'	'apple.jpg'	400

📄 js/script.js

```
const menu = document.querySelector('#menu');

// const strawberry = {
//     name: 'イチゴ',
//     img: 'strawberry.jpg',
//     price: 450,
// };                                              もう必要ないので削除する
// console.log(strawberry.name);
// console.log(strawberry['img']);

// const key = 'name';
```

```
// console.log(strawberry.key);
// console.log(strawberry[key]);

const lists = [
    {
      name: 'イチゴ',
      img: 'strawberry.jpg',
      price: 450,
    },
    {
      name: 'ライム',
      img: 'lime.jpg',
      price: 400,
    },
    {
      name: 'マンゴー',
      img: 'mango.jpg',
      price: 500,
    },
    {
      name: 'レモン',
      img: 'lemon.jpg',
      price: 400,
    },
    {
      name: 'イチジク',
      img: 'fig.jpg',
      price: 500,
    },
    {
      name: 'リンゴ',
      img: 'apple.jpg',
      price: 400,
    },
];

for(let i = 0; i < lists.length; i++){
    const content = `<div><img src="images/${lists[i]}" alt=""></div>`;
    menu.insertAdjacentHTML('beforeend', content);
}
```

「キー」と「値」がセットになったプロパティが入る

　前節で作成した「strawberry」オブジェクトやそれを出力するための「console.log()」はもう必要ないので、削除しておきましょう。

値を取得する

値の取得方法をおさらいしておきましょう。オブジェクトの値を取得する方法は

JS 記述例

```
オブジェクト名.キー
```

という形で、オブジェクト名とキーを「.（ピリオド）」でつなぐのでした。
　そして、P.158「5-4　配列の中にある画像を表示しよう」で解説したように、配列の中にある要素を取得するには

JS 記述例

```
配列[インデックス]
```

のように、「[ ]（角カッコ）」の中にインデックスを記述しました。
　現在配列の中にはオブジェクトが要素として入っているため、「配列[インデックス]」で各オブジェクトにアクセスできます。つまり、配列の中にあるオブジェクトの値を取得するには

JS 記述例

```
配列[インデックス].キー
```

となります。実際にコンソールで0番目のnameの値を取得してみましょう。

JS js/script.js

```javascript
const menu = document.querySelector('#menu');

const lists = [
    {
      name: 'イチゴ',
      img: 'strawberry.jpg',
      price: 450,
    },
    {
      name: 'ライム',
      img: 'lime.jpg',
      price: 400,
    },
    {
```

```
      name: 'マンゴー',
      img: 'mango.jpg',
      price: 500,
    },
    {
      name: 'レモン',
      img: 'lemon.jpg',
      price: 400,
    },
    {
      name: 'イチジク',
      img: 'fig.jpg',
      price: 500,
    },
    {
      name: 'リンゴ',
      img: 'apple.jpg',
      price: 400,
    },
];
console.log(lists[0].name);                                        追加した

for(let i = 0; i < lists.length; i++){
    const content = `<div><img src="images/${lists[i]}" alt=""></div>`;
    menu.insertAdjacentHTML('beforeend', content);
}
```

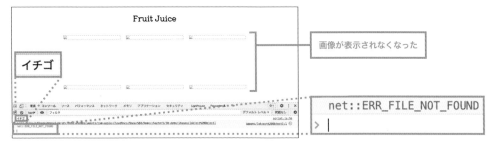

Fruit Juice

イチゴ

画像が表示されなくなった

net::ERR_FILE_NOT_FOUND

すると、コンソールで「イチゴ」と表示されました。うまく取得できています。

しかし、「ファイルが見つからない」というエラーも一緒に表示され、Webページ上の画像が非表示になってしまいました。それもそのはず、for文で指定している「lists[i]」は各オブジェクトそのものを指定したままになっており、キーの指定がされていないため、画像のファイル名が取得できていないからです。

次節から、for文の中身を書き換えて、Webページ上にすべての画像やメニュー名、値段を表示させましょう！

5-11

CHAPTER

一覧表示をしよう

1つひとつの情報の取得方法がわかったので、あとはfor文の中に記述して一覧表示させます。すべてのメニューの画像、メニュー名、値段を表示させましょう。

画像を一覧表示させる

▶ サンプルデータ
chapter5/11-demo

for文の中の画像ファイルを指定する箇所には「lists[i]」と指定していました。前節でオブジェクトの個々の値は「配列 [インデックス].キー」で取得できることがわかったので、「lists[i]」に「.(ピリオド)」でつないでキーを記述しましょう。画像ファイル名を格納しているキーは「img」なので、「lists[i].img」となります。また、確認のために記述した「console.log(lists[0].name);」はもう必要ないので、コメントアウト、または削除しておきます。

📄 js/script.js

```
const menu = document.querySelector('#menu');

const lists = [
    {
      name: 'イチゴ',
      img: 'strawberry.jpg',
      price: 450,
    },
    {
      name: 'ライム',
      img: 'lime.jpg',
      price: 400,
    },
    {
      name: 'マンゴー',
      img: 'mango.jpg',
      price: 500,
    },
    {
      name: 'レモン',
      img: 'lemon.jpg',
      price: 400,
    },
    {
      name: 'イチジク',
      img: 'fig.jpg',
      price: 500,
    },
```

```
    {
      name: 'リンゴ',
      img: 'apple.jpg',
      price: 400,
    },
];
//console.log(lists[0].name);                              コメントアウト、または削除

for(let i = 0; i < lists.length; i++){
    const content = `<div><img src="images/${lists[i].img}" alt=""></div>`;
    menu.insertAdjacentHTML('beforeend', content);          画像を取得する
}
```

画像の一覧が表示された

各オブジェクトの画像のファイル名が取得でき、Web
ページ上に再び画像が表示されました。

■ メニュー名と値段を表示する

　この方法を使って、他にも登録してあるメニュー名と値段も追加しましょう。まずは定数
「content」の中、画像の指定の後にHTMLを追加します。メニュー名は<h2>タグ、値段は<p>
タグを使っています。

js js/script.js

```
const menu = document.querySelector('#menu');

const lists = [
    {
      name: 'イチゴ',
      img: 'strawberry.jpg',
      price: 450,
    },
    {
      name: 'ライム',
      img: 'lime.jpg',
      price: 400,
    },
    {
      name: 'マンゴー',
```

```
        img: 'mango.jpg',
        price: 500,
      },
      {
        name: 'レモン',
        img: 'lemon.jpg',
        price: 400,
      },
      {
        name: 'イチジク',
        img: 'fig.jpg',
        price: 500,
      },
      {
        name: 'リンゴ',
        img: 'apple.jpg',
        price: 400,
      },
];
//console.log(lists[0].name);

for(let i = 0; i < lists.length; i++){
    const content = `<div><img src="images/${lists[i].img}" alt=""><h2>メニュー名</
h2><p>000円</p></div>`;
    menu.insertAdjacentHTML('beforeend', content);
}
```

メニューと値段を追加

メニューと値段が表示された

for文で繰り返し処理が行われ、すべての画像の下に見出しと値段の要素が追加されました。

あとは画像ファイル名と同じように、「lists[i]」に「.（ピリオド）」でキーをつなげてメニュー名と値段を取得します。メニュー名のキーは「name」、値段のキーは「price」ですね。

📄 js/script.js

```
const menu = document.querySelector('#menu');

const lists = [
    {
        name: 'イチゴ',
```

chapter1

chapter2

chapter3

chapter4

chapter5

chapter6

chapter7

chapter8

```
      img: 'strawberry.jpg',
      price: 450,
   },
   {
      name: 'ライム',
      img: 'lime.jpg',
      price: 400,
   },
   {
      name: 'マンゴー',
      img: 'mango.jpg',
      price: 500,
   },
   {
      name: 'レモン',
      img: 'lemon.jpg',
      price: 400,
   },
   {
      name: 'イチジク',
      img: 'fig.jpg',
      price: 500,
   },
   {
      name: 'リンゴ',
      img: 'apple.jpg',
      price: 400,
   },
];
//console.log(lists[0].name);

for(let i = 0; i < lists.length; i++){
    const content = `<div><img src="images/${lists[i].img}" alt=""><h2>${lists[i].name}
</h2><p>${lists[i].price}円</p></div>`;
    menu.insertAdjacentHTML('beforeend', content);
}
```

値段を取得   メニュー名を取得

イチゴ 450円	ライム 400円	マンゴー 500円
レモン 400円	イチジク 500円	リンゴ 400円

これですべての情報が一覧表示されました。

5-12

CHAPTER

分割代入でコードをスッキリさせよう

前節で一旦Webページは完成しました。ただ、少し書き方が冗長だったところもあります。この節でスッキリとまとめて書く方法を紹介します。

▋ 取得する値を定数にする

メニュー名は「lists[i].name」、画像ファイルは「lists[i].img」、値段は「lists[i].price」で取得していますが、何度も「lists[i]」と記述しているため、定数「content」のテンプレート文字列がやけに長く見えます。そこで、まずは取得する値をそれぞれ定数にしてみましょう。定数名とキーを同じ名前にするとわかりやすいです。

📄 js/script.js

```javascript
const menu = document.querySelector('#menu');

const lists = [
  {
    name: 'イチゴ',
    img: 'strawberry.jpg',
    price: 450,
  },
  {
    name: 'ライム',
    img: 'lime.jpg',
    price: 400,
  },
  {
    name: 'マンゴー',
    img: 'mango.jpg',
    price: 500,
  },
  {
    name: 'レモン',
    img: 'lemon.jpg',
    price: 400,
  },
  {
    name: 'イチジク',
    img: 'fig.jpg',
    price: 500,
  },
```

```
    {
      name: 'リンゴ',
      img: 'apple.jpg',
      price: 400,
    },
];

for(let i = 0; i < lists.length; i++){
    const name = lists[i].name;
    const img = lists[i].img;
    const price = lists[i].price;

    const content = `<div><img src="images/${img}" alt=""><h2>${name}</h2><p>${price}
円</p></div>`;
    menu.insertAdjacentHTML('beforeend', content);
}
```

定数を宣言

「${img}」、「${name}」、「${price}」
で呼び出せるので、テンプレート文字列
がスッキリした

分割代入を使う

今回のように、オブジェクトのキーと同じ定数名を使う場合は、さらに省略して記述できます。
分割代入といって、一度に複数のプロパティの値を定数に代入できるようになります。

書き方は、定数の宣言である「const」から始まり、「{ }(波カッコ)」の中にオブジェクトのキー
を書きます。複数ある場合はキーを「,（カンマ）」で区切り、「=（イコール）」のあとに値を取
得したいオブジェクトの名前を指定します。

JS 記述例

```
const オブジェクト名 = {
  キー1: 値1,
  キー2: 値2,
  キー3: 値3,
};

const { キー1, キー2, キー3 } = オブジェクト名;
```

少し不思議な書き方かもしれません。ただ、こうするとキーを指定するだけで同じ名前の定数
に値が代入され、値を取得できるようになります。例えば、次のように

JS 例

```
console.log(キー1);
```

と指定すれば、コンソールに「値1」が出力されます。「{}（波カッコ）」の中のキーは順不同です。また、存在しないキーを書くと「undefined」となります。それではメニューリストの「name」、「img」、「price」の定数部分も分割代入に書き換えてみましょう。

📄 js/script.js

```
const menu = document.querySelector('#menu');

const lists = [
  {
    name: 'イチゴ',
    img: 'strawberry.jpg',
    price: 450,
  },
  {
    name: 'ライム',
    img: 'lime.jpg',
    price: 400,
  },
  {
    name: 'マンゴー',
    img: 'mango.jpg',
    price: 500,
  },
  {
    name: 'レモン',
    img: 'lemon.jpg',
    price: 400,
  },
  {
    name: 'イチジク',
    img: 'fig.jpg',
    price: 500,
  },
  {
    name: 'リンゴ',
    img: 'apple.jpg',
    price: 400,
  },
];

for(let i = 0; i < lists.length; i++){
  const {name, img, price} = lists[i];        ← 分割代入を使った
  const content = `<div><img src="images/${img}" alt=""><h2>${name}</h2><p>${price}円
</p></div>`;
  menu.insertAdjacentHTML('beforeend', content);
}
```

分割代入を使う前と同じように、Webページ上に画像やメニュー名、値段が表示されます。

　このように、同じ結果となるコードであっても、より簡潔に記述する方法もあるので覚えておくといいでしょう。

chapter1
chapter2
chapter3
chapter4
chapter5
chapter6
chapter7
chapter8

COLUMN

—

配列とオブジェクトの使い分け

　配列もオブジェクトも、どちらも複数のデータをまとめて使います。使い分けではどうすればいいのでしょうか。

　まず単一の項目が順に並んでいるようなシンプルなデータなら配列がいいでしょう❶。

　複数の項目がある場合はオブジェクトでまとめると扱いやすくなります❷。

　表計算ソフトの表のように、複数の項目が順に並ぶようなデータであれば配列とオブジェクトを組み合わせて利用するのが最適です❸。

❶

1	片岡 勇貴
2	西原 悦子
3	多田 康仁

❷

氏名	年齢	誕生日
片岡 勇貴	30	1月9日

❸

	氏名	年齢	誕生日
1	片岡 勇貴	30	1月9日
2	西原 悦子	32	6月16日
3	多田 康仁	26	11月20日

Mathオブジェクトを使った数学的な計算

　JavaScriptにあらかじめ用意されているビルトインオブジェクトのうち、Mathオブジェクトを使えば、数学的な計算ができるようになります。数値の操作だけでなく、アニメーションで複雑な動きの指定をしたり、ランダムに動かすなど、使いこなせると表現の幅がグッと広がります。

▶Mathオブジェクトの主なメソッド

メソッド	意味	例	結果
Math.floor(数値)	小数点以下を切り捨てる	Math.floor(9.28)	9
Math.ceil(数値)	小数点以下を切り上げる	Math.ceil(9.28)	10
Math.round(数値)	四捨五入する	Math.round(9.28)	9
Math.random()	0以上1未満のランダムの数値（乱数）を返す	Math.random()	0.5567012735572743
Math.pow(数値A, 数値B)	数値Aの数値B乗を返す	Math.pow(9, 2)	81
Math.max(数値A, 数値B, …)	数値A、数値B…のうち、最大値を返す	Math.max(9,2,8)	9
Math.min(数値A, 数値B, …)	数値A、数値B…のうち、最小値を返す	Math.min(9,2,8)	2
Math.trunc(数値)	小数点以下を切り捨て、整数部分を返す	Math.trunc(9.28)	9

他にも平方根やサイン、コサイン、タンジェントなど高度な計算も可能です。

より詳しく知りたい場合は以下を参照してください。

● Math - JavaScript | MDN

https://developer.mozilla.org/ja/docs/Web/JavaScript/Reference/Global_Objects/Math

CHAPTER 6

—

アニメーションを加えよう！

Webサイトを見ていると「スルスル」と動いたり、「ふ
わっ」と表示されたり、そんな擬音語がよく似合う動
くサイトと出会います。この章ではより豊かな表現方
法であるアニメーションを身に付けます。JavaScript
で実装できるWeb Animations APIを紹介します。

Introduction | Getting Started | Basic | Event | Data | Animation | Website | Troubleshooting

6-1
CHAPTER

動きがあるWebサイトを見てみよう

まずは実際にWebサイト上でどんな動きが表現可能なのか見ていきましょう。
この節では動きがとても魅力的で素晴らしいWebサイトをいくつか紹介します。

▨ 六角館さくら堂KYOTOのWebサイト

化粧筆の良さを届ける業界初の化粧筆専門店
「六角館さくら堂KYOTO」のWebサイトです。
優しい色合いやふんわりとした動きで、やわ
らかな化粧筆の質感を表現しています。
https://www.rokkakukan-sakurado.com/

▧ カーソルにあわせてふわふわ動く画像の表現

ホームでは、カーソルにあわせて商品写真や桜の花びらがゆっくりと移動します。

カーソルにあわせて移動

▧ 下から波打つように現れるテキストや画像の表現

下からスッと表示されるのではなく、まるで波のように左から右へと表示されていきます。

波のように左から右へ表示

株式会社風工学研究所のWebサイト

「風」の研究所らしくWebサイト全体で流れる風を感じられます。ホームのファーストビューでは薄い雲が流れてページを包み込んでいます。

https://www.wei.co.jp/

風にゆれる旗

　右上のメニューアイコンをクリックすると、風にゆれる旗が印象的なメニューパネルが画面いっぱいに広がります。

クリック

風にゆれる旗が印象的

流れるテキスト

　フッターでは大きなテキストが右から左へゆっくりと動いて無限ループします。ここでも風を感じる作りです。

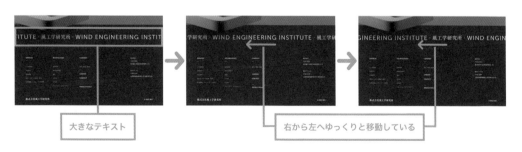

大きなテキスト

右から左へゆっくりと移動している

■ ミトネデザインのWebサイト

キラキラと光が移ろう背景が美しいデザイン
事務所のWebサイトです。水のせせらぎや鳥
のさえずりをWebサイトからも感じるような
作りです。

https://www.mitonedesign.jp/

▶ 左上から徐々に表示されるコンテンツ

　ページをスクロールすると、画面の左上から右下にかけてじわじわとテキストや画像が表示さ
れていきます。

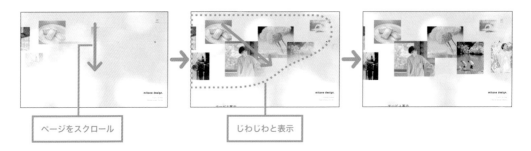

▶ 別の画像を自動的に表示する

　コンテンツのページでは一定時間経過すると、表示している画像が自動的に切り替わります。
高知県の表情豊かな景観を楽しむことができます。

■Layered OmiのWebサイト

和のテイストと現代のテクノロジーを融合させたような、歴史ある近江を紹介するWebサイトです。

https://layered-omi.com/

▶幻想的なローディング画面

ラインで描かれた波がゆらりと消えて、ホームのコンテンツが表示されます。

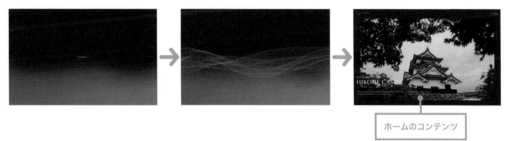

ホームのコンテンツ

▶歪みながら切り替わる画像の表現

まるで水面のようにゆらゆらと画像が動き、別の画像に切り替わります。

水面の動きのように現れる

6-2
CHAPTER

なぜ動きがあると効果的なのか

WebページやWebサービス、アプリケーションなどにアニメーションを加える理由が「なんとなく格好がいいから」だけであれば、ここまで世界中に広がることはなかったでしょう。動きがあるとどんなメリットがあるのか考えていきます。

■ 状態が変化したことを知らせる

　Webページではページとページの間をリンクで行き来しながら多くの情報を閲覧します。ユーザーがリンクをクリックして別のページに移動するときは画面が変化するのが基本です。しかし、目の前の画面がパッと変わってしまうと、何が起こったかわからないこともあります。現実の世界では急に目の前に何かが現れたり、手に持っていたものが突然消えたり別の物に変わったりしませんよね。そこでWebページでは少しずつ形を変える**アニメーション**を使います。アニメーションをうまく活用すれば、最初から最終の状態までの変化を自然に表現できます。ユーザーに何が起こったのか明確に伝わるため、スムーズにWebページを利用できるでしょう。

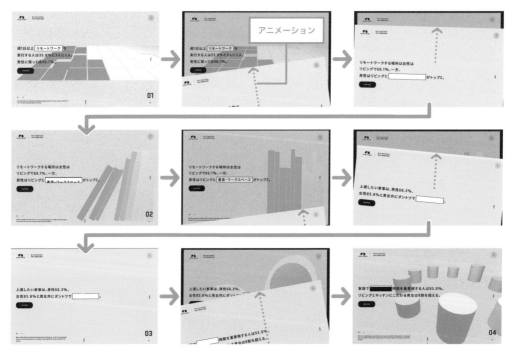

「家づくりのあるあるFACT BOOK 2022」のWebサイト（https://www.sekisuihouse.co.jp/kodate/event/day/research/index.html）では、紙芝居のように画面をめくりながら、各セクションを遷移します。紹介しているテーマが変わることを伝えつつ、見栄え良くWebページを表示しています。

ユーザーが今何をしているのかを表示できる

　Webサイトが突然動かなくなった…なんて経験はありませんか？　ネット回線が途切れてしまったのか、それともWebページを読み込んでいる最中なのか、動かなくなっては対処のしようがありません。ユーザーは常に現在の状況を把握したいのです。

　アニメーションは、ユーザーの状況を視覚的に伝えられる優れた手段の1つです。Webページを読み込んでいるとき、ファイルをアップロードしているとき、入力ミスをしたとき、送信完了したとき…などなど、様々な場面で、すばやく、的確に、情報をフィードバックできます。

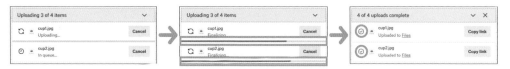

ファイルをアップロードしてクラウド上に保存できるWebサービス「Dropbox」(https://www.dropbox.com/) では、選択したファイルや進捗状況、アップロードが完了したことなどをアニメーションやアイコンでわかりやすく表示しています。

使い方を端的に説明する

　ユーザーになにかの動作をさせるWebサービスの中には、どのように利用すればいいのかわからなくなるものもあるでしょう。まず「どこを見て」「何をすべきなのか」をアニメーションとともに伝えられると、初めて利用するユーザーも安心して使うことができます。

　ユーザーの行動をよく理解して作られたWebページでは、適切なタイミングや頻度で注意を引きつけ、誘導することに成功しているのです。

コードのテストや共有ができるWebサービス「CodePen」(https://codepen.io/) では、保存しないままコードを書き続けていると、保存を促すために「Save」ボタンが一定回数揺れてユーザーに知らせます。

6-3
CHAPTER

心地よいと感じる動きとは

心地よいアニメーションには「アニメーションだと気づかせない自然さ」があります。具体的にどのようなアニメーションだと心地よく感じるのか考えてみましょう。

▰ タイミングと速度を考える

アニメーションが開始するタイミングは非常に重要です。ユーザーの操作でアニメーションが開始する場合は、操作が終わると速やかに動き出すことが理想です。

また、動きの速度にも気を配るといいでしょう。あまりに速すぎても変化に気づけませんし、遅すぎるとユーザーを待たせてしまいます。具体的な数値はアニメーションの内容や動かすものによって変わってきますので、一概には言えませんが、100ミリ秒（0.1秒）よりも速い動きではアニメーションだと認識されづらいので気をつけましょう。

▰ 動かすものの数を決める

想像してみてください。画面の上ではナビゲーションメニューが動き、下ではボタンが動く、さらに背景画像も絶え間なく動いており、ボタンにカーソルをあわせるとボタンが左右に震え出す…そんなWebページはなかなかのカオスです。

「動かすものの数を絞る」「同時に多くのものを動かさない」 ことも、不快にさせないポイントです。もし複数のものを動かしたいときは、動かす順番を決めておいたり、速度に強弱をつけるなどの工夫をするといいでしょう。

▰ 再生回数に気を配る

どんなに素晴らしいアニメーションであっても、ずっと見ているとうっとうしく感じてしまうこともあります。アニメーションは無限ループをさせることも可能ですが、ずっと見ていても目障りにならないWebページにするなら、**「再生回数を考える」** 必要があります。

例えば調べ物をしていて、同じWebページをずっと開いていることもあるでしょう。その間ずっと画面上でくるくると回り続けている要素が表示されているとどう感じるでしょうか？一定の回数再生したら停止させたり、無限ループさせるならその速度にも気を配るといいでしょう。

▰ 動きの加減速を調整する

アニメーションを指定する際に、**「イージング」** という項目があります。これは動きの加速や減速の効果を加える機能です。例えば現実の物理的な世界では、開始から終了まで物が一定の速

度で動き続けるわけではありません。少しゆっくりと開始してだんだん加速していき、終了時に再び減速する…というのが自然です。アニメーションもその動きに近づけることで、不自然さをなくし自然に見せることができるでしょう。

■ デザインテーマに合った動きにする

　Webサイトを作成するときは必ずそのデザインのテーマを考えます。親しみやすいのか、真面目な雰囲気なのか、ポップなのか、レトロなのか…。こういったテーマにあわせて、アニメーションもデザインすると世界観とマッチして心地よく感じられます。例えば柔らかな触り心地が人気の寝具のWebサイトなら、ピョンピョン飛び跳ねるような動きよりも、ふわふわ浮かび上がるような表現の方がうまく調和するでしょう。

COLUMN

—

getElementByで要素を取得する

　本書ではHTML要素を取得するのに「querySelector()」や「querySelectorAll()」を利用していますが、他にも同じようなメソッドが用意されています。「getElementBy」から書き始めるメソッドでも、特定のID名やクラス名、タグ名を記述して利用します。

　「querySelector()」や「querySelectorAll()」を使うと、CSSでセレクターを指定する感覚でHTML要素を取得できます。また、querySelector～では「:hover」や「:first-child」,「:last-child」などの**疑似クラスも使えます。**

　getElementBy～を使うメリットは、querySelector～に比べて処理が早い点です。ただし、体感するほどではないため、CSSのように書ける「querySelector()」や「querySelectorAll()」で統一すると書きやすいでしょう。

	querySelector ～	getElementBy ～
特定のidのついた要素を取得	querySelector('#ID名')	getElementById('ID名')
特定のクラスのついた要素をすべて取得	querySelectorAll('.クラス名')	getElemetnsByClassName('クラス名')
特定のタグを使った要素をすべて取得	querySelectorAll('タグ名')	getElementsByTagName('タグ名')

6-4
CHAPTER

見出しを下から浮き上がらせよう

Webページを開いたときに、見出しや画像などの要素が下からふわっと表示されるのを見たことがあると思います。このシンプルなアニメーションをJavaScriptの基本の書き方を学びながら実装します。

■ 作成するWebページの紹介

▶ サンプルデータ
chapter6/04-demo

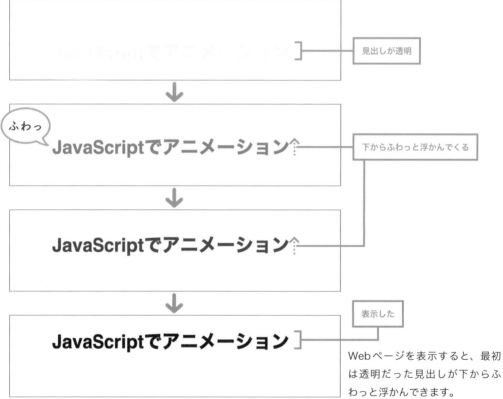

見出しが透明

JavaScriptでアニメーション⤒
ふわっ

下からふわっと浮かんでくる

JavaScriptでアニメーション⤒

下からふわっと浮かんでくる

JavaScriptでアニメーション

表示した

Webページを表示すると、最初は透明だった見出しが下からふわっと浮かんできます。

■ 完成コード

index.html

```
<!DOCTYPE html>
<html lang="ja">
<head>
```

```
    <meta charset="UTF-8">
    <meta name="viewport" content="width=device-width, initial-scale=1.0">
    <title>6-4.見出しを下から浮き上がらせよう</title>
    <link rel="stylesheet" href="css/style.css">
    <script src="js/script.js" defer></script>
</head>
<body>
    <h1 id="heading">JavaScriptでアニメーション</h1>
</body>
</html>
```

js/ script.js

```javascript
const heading = document.querySelector('#heading');

const keyframes = {
  opacity: [0, 1],
  translate: ['0 50px', 0],
};
const options = {
  duration: 2000,
  easing: 'ease',
};

heading.animate(keyframes, options);
```

css/ style.css

```css
body {
    text-align: center;
}
```

ディレクトリー構成

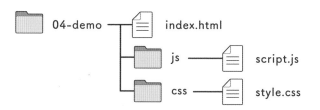

6-5
CHAPTER

見出しを下から浮き上がらせよう

アニメーションの基本の書き方

JavaScriptでアニメーションの指定をすれば、より豊かな表現が可能となります。様々な関数やイベントと組み合わせることで、より柔軟にアニメーションを作ることができます。まずは基本の書き方をみていきましょう。

■ Web Animations APIとはなにか

Web Animations API（ウェブアニメーションエーピーアイ・WAAPI）は、他のライブラリーを使わずにアニメーションを実装することができるJavaScriptの仕様です。使い方はCSSのプロパティと値のように要素の何を変化させるのかを指定します。また、開始時の値と終了時の値を指定しておけば、その2点の間の値を自動補完してなめらかな動きで表示することができます。この自動補完の動かす内容のことを**キーフレーム**と言います。

例えば「透明な要素が不透明に変わる」というアニメーションであれば、開始時の透明・終了時の不透明さえ指定しておけば、再生時間にあわせて透明度が変化し、中間地点では透明度50%で表示されます。

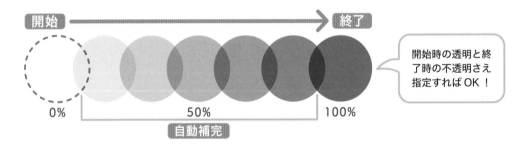

■ Web Animations APIの基本の書き方

Web Animations APIの基本形は以下の形です。動かしたい要素にanimate()メソッドを加えて指定します。丸カッコの中には、第一引数に動かす内容（キーフレーム）、第二引数は再生時間を指定します。これらは「,（カンマ）」で区切ります。

JS 記述例

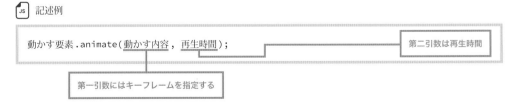

動かす内容（キーフレーム）の書き方

animate()の第一引数には動かす内容（キーフレーム）をオブジェクトの形で指定します。CSSと同じ形でプロパティ名を書きますが、JavaScriptの文法にあわせて、CSSの「-」が付くプロパティは「-」を除いて大文字表記にします（例：font-size → fontSize）。

値は基本的に開始点、終了点の2つの値を指定をします。P.175「5-8　オブジェクトで画像、メニュー名、値段をまとめよう」でも紹介したように、オブジェクトの値にはどんなデータ型でも入れられるため、ここでは「［］（角カッコ）」で囲んで配列の形で指定します。

JS 記述例

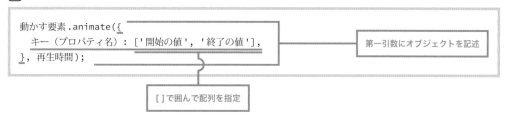

上記のように丸カッコの中に直接キーフレームのオブジェクトを記述してもいいですし、下記のように別途キーフレームのみを定数にまとめて、animate()メソッドにて呼び出す方法も可能です。

JS 記述例

```
const keyframes = {
    キー（プロパティ名）：['開始の値', '終了の値'],
};
動かす要素.animate(keyframes, 再生時間);
```

キーフレームを定数にまとめる

上記の定数「keyframes」を呼び出す

ここでは定数名を「keyframes」としていますが、もちろん自由に変えてもらってもかまいません。

再生時間の書き方

第二引数にはアニメーションの再生時間、つまりどれくらい時間をかけて要素を動かすかを数値で指定します。単位はミリ秒です。例えば1秒は1000ミリ秒なので、1000と指定します。

なお、この部分は繰り返し回数や遅延時間など、再生時間以外のオプション指定がある場合は書き方が異なります。詳しくはP.216「6-7　見出しを下から浮き上がらせよう 動きの詳細を加えよう」で紹介します。

透明の見出しを徐々に表示させる

それでは実際に書いてみましょう。まずは下準備から始めます。

HTMLでは<h1>タグで「heading」というIDのついた見出しのみ用意しています。CSSは中央揃えにしているだけです。

index.html

```html
<!DOCTYPE html>
<html lang="ja">
<head>
    <meta charset="UTF-8">
    <meta name="viewport" content="width=device-width, initial-scale=1.0">
    <title>6-4. 見出しを下から浮き上がらせよう</title>
    <link rel="stylesheet" href="css/style.css">
    <script src="js/script.js" defer></script>
</head>
<body>
    <h1 id="heading">JavaScriptでアニメーション</h1>          ← <h1>タグで見出しを用意
</body>
</html>
```

css/style.css

```css
body {
    text-align: center;          ← 中央揃え
}
```

JavaScriptでは、まずHTMLで用意したID「heading」のh1要素を「heading」という定数に入れておきます。そしてWeb Animations APIの基本の書き方に沿って、「heading.animate(keyframes, 2000);」と記述します。第一引数の「keyframes」はこれから記述していく「動かす内容」部分の定数名で、まだ何も書いていないので現時点ではエラーとなります。第二引数は「2000」として、アニメーションを2秒かけて再生するように指定しています。

js/script.js

```javascript
const heading = document.querySelector('#heading');          ← Web Animations APIの基本の書き方

heading.animate(keyframes, 2000);
```

第一引数(まだ何も書いていない)   アニメーションを2秒かけて再生するよう指定

それでは肝心の動かす内容である第一引数の「keyframes」部分を解説します。

定数「keyframes」を用意し、中にはオブジェクトを入れるため「{ }（波カッコ）」で書いていきます。キーにはCSSプロパティでもある「opacity」を記述します。「opacity」は要素の不透明度を表します。開始時の「0」は不透明度が「0%」、つまり透明という意味です。終了時の「1」は不透明度が100%、つまり不透明です。なお、単位のいらない値なので、文字列ではなく数値として扱うため、シングルクォーテーションで囲む必要はありません。

JS js/script.js

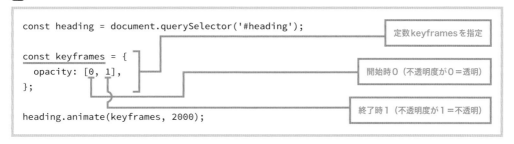

```
const heading = document.querySelector('#heading');     定数keyframesを指定

const keyframes = {
  opacity: [0, 1],                          開始時0（不透明度が0＝透明）
};
                                            終了時1（不透明度が1＝不透明）
heading.animate(keyframes, 2000);
```

2秒かけて文字が表示

index.htmlをブラウザーで確認してみると、真っ白だったWebページに2秒かけて見出しの文字が表示されるのがわかるかと思います。

透明だった見出しが少しずつ不透明になっていっています！
ただ、これだけだと少し味気ないので、次節では他の動きも追加してみましょう。

見出しを下から浮き上がらせよう

6-6
CHAPTER
複数のアニメーションを加えよう

要素を浮かび上がるように表示させる技として、あえて少し下の位置に配置し、上へと移動させる方法があります。そうすることで浮かび上がる印象になります。要素を移動させる translate プロパティを追加しましょう。

複数のアニメーションを記述する

1つの要素に複数の動きを加えるには、オブジェクト形式で新たなプロパティを追加するだけでOKです。プロパティ同士は「,（カンマ）」で区切ります。

JS 記述例

```
const keyframes = {
  プロパティ1: ['開始の値1', '終了の値1'],
  プロパティ2: ['開始の値2', '終了の値2'],
};
動かす要素.animate(keyframes, 再生時間);
```

新たなプロパティを追加

「,」で区切る

また、配列として記述する方法もあります。

配列の要素を各アニメーションが動作する位置として、キーフレームごとに「{}（波カッコ）」で囲んでオブジェクトとして記述します。上記のコードはオブジェクトの中に配列が入っていましたが、下記の書き方は配列の中にオブジェクトが入る形です。一度に動く内容が多い場合は、下記の書き方の方がわかりやすいかと思います。

JS 記述例

```
const keyframes = [
  {
    プロパティ1: '開始の値1',
    プロパティ2: '開始の値2'
  },
  {
    プロパティ1: '終了の値1',
    プロパティ2: '終了の値2'
  }
];
動かす要素.animate(keyframes, 再生時間);
```

配列の中にオブジェクトを書く

それでは前節の続きを書いていきましょう。今回は前者の方法で、オブジェクトのプロパティを追加します。「translate」の値を開始時に「0 50px」と指定し、横方向は0、縦方向は50px下に下げる指定をします。そして終了時には「0」にして横方向・縦方向ともに元の位置に戻します。

📜 js/script.js

```
const heading = document.querySelector('#heading');

const keyframes = {
  opacity: [0, 1],
  translate: ['0 50px', 0],                          追加した
};

heading.animate(keyframes, 2000);
```

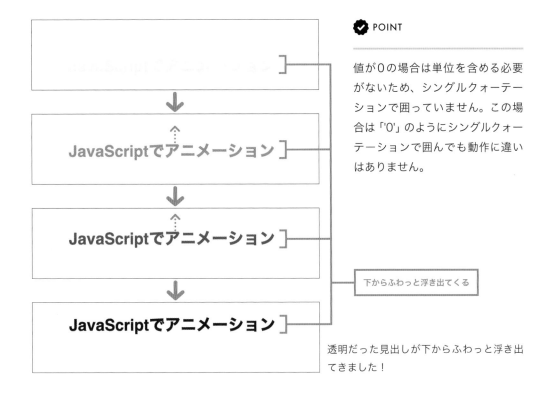

✅ POINT

値が0の場合は単位を含める必要がないため、シングルクォーテーションで囲っていません。この場合は「'0'」のようにシングルクォーテーションで囲んでも動作に違いはありません。

下からふわっと浮き出てくる

透明だった見出しが下からふわっと浮き出てきました！

これでアニメーション自体は完成です。この他にも動きの詳細指定ができるので、次節からその書き方も見ていきましょう！

見出しを下から浮き上がらせよう
動きの詳細を加えよう

animate()メソッドの第二引数には、再生時間だけではなく、よりこまかな動きの指定も可能です。さまざまなオプションがあるのでこの節で1つひとつみていきましょう。

動きの詳細（タイミング）の記述

前節までの第二引数には再生時間をミリ秒で記述していましたが、ここには動かす時間やタイミング、繰り返しなどのオプション指定もできます。

JS 記述例

```
動かす要素.animate(動かす内容, 動きの詳細);
```

その場合は動かす内容（キーフレーム）と同じくオブジェクトの形式で指定します。

JS 記述例

```
動かす要素.animate({
  // 動かす内容（キーフレーム）の指定
  キー（プロパティ名）: ['開始の値', '終了の値'],
}, {
  // 動きの詳細（タイミング）の指定
  キー（プロパティ名）: '値',
});
```

オブジェクトの形式で動きの詳細を指定できる

上記のように丸カッコの中に直接キーフレームのオブジェクトを記述してもいいのですが、「どれが動かす内容」で「どれが動きの詳細」なのかわかりづらくなります。

そこで、別途オプションのみを定数にまとめて、animate()メソッドにて呼び出すとわかりやすくなります。

記述例

```
const keyframes = {
  キー（プロパティ名）: ['開始の値', '終了の値'],
};
const options = {
  キー（プロパティ名）: '値',
};
動かす要素.animate(keyframes, options);
```

定数にまとめる

定数を呼び出す

　ここでは定数名を「keyframes」や「options」としていますが、もちろん自由に変えてもらってもかまいません。

▨ 指定できるプロパティ

　複数のプロパティを同時に指定できます。数値ではない値は文字列なのでシングルクォーテーションで囲んで指定します。必須項目はアニメーションの再生時間である「duration」のみです。

▧ delay
　アニメーションの開始を遅らせる時間です。整数値のミリ秒で記述するので、1秒の場合「1000」と記述します。初期値は0になります。

▧ direction
　アニメーションを実行する方向です。

指定できる値	意味
normal	通常の方向で再生（初期値）
alternate	奇数回で通常・偶数回で反対方向に再生 （行って帰って行って帰って…という具合）
reverse	逆方向に再生
alternate-reverse	alternate の逆方向に再生

▧ duration
　アニメーションの再生時間です。これは必須項目となります。整数値のミリ秒で記述するので、1秒の場合「1000」と記述します。

easing

アニメーションが変化する速度やタイミングです。

指定できる値	意味
linear	一定の速度で変化（初期値）
ease	開始時と終了時は緩やかに変化
ease-in	最初はゆっくり、だんだん速く変化
ease-out	最初は速く、だんだんゆっくりと変化
ease-in-out	開始時と終了時はかなり緩やかに変化
steps()	段階ごとに変化
cubic-bezier()	ベジェ曲線の座標に沿って変化

fill

アニメーションの再生前後の状態です。

指定できる値	意味
none	なし（初期値）
forwards	再生後、最後のキーフレームの状態を保持
backwards	再生前、最初のキーフレームの状態を適用
both	forwards と backwards の両方を適用

iterations

アニメーションを繰り返す回数です。初期値は1。無限ループにするには「Infinity」を指定します。

 POINT

「Infinity」は文字列ではなくJavaScriptの予約語なので、クォーテーションで囲まず、1文字目を大文字にします。「"Infinity"」や「infinity」と書くと動作しませんので注意が必要です。

　それではアニメーションが変化する速度やタイミングを指定できる「easing」オプションを追加してみましょう。

　新たに定数optionsを作成し、その中にオブジェクトを書き始めるため「{ }（波カッコ）」を用意します。波カッコの中には、まず必須項目である再生時間の「duration」をキーにし、値を2000（2秒）と指定します。

　続いて「,（カンマ）」で区切って「easing」をキー、値を「'ease'」にしました。この値は文字列としての指定なのでシングルクォーテーションで囲みます。

　あとはanimate()メソッドの第二引数に定数「options」を呼び出せば完成です。

js/script.js

```
const heading = document.querySelector('#heading');

const keyframes = {
  opacity: [0, 1],
  translate: ['0 50px', 0],
};
const options = {
  duration: 2000,
  easing: 'ease',
};

heading.animate(keyframes, options);
```

定数optionsを作成

再生時間を2000と指定

アニメーションが変化する速度やタイミングはease(開始時と終了時は緩やかに変化)

optionsの呼び出し

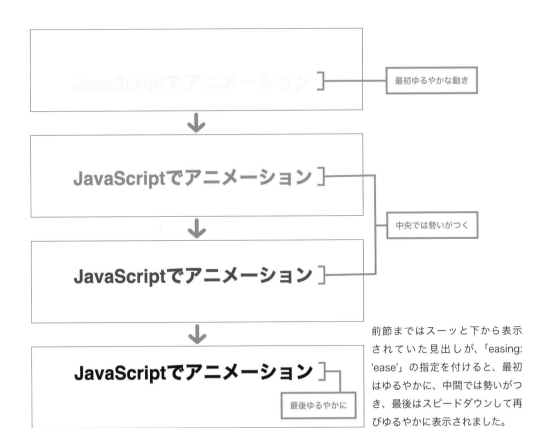

最初ゆるやかな動き

JavaScriptでアニメーション

中央では勢いがつく

JavaScriptでアニメーション

JavaScriptでアニメーション

最後ゆるやかに

前節まではスーッと下から表示されていた見出しが、「easing: 'ease'」の指定を付けると、最初はゆるやかに、中間では勢いがつき、最後はスピードダウンして再びゆるやかに表示されました。

　他にも色やサイズを変えたり、アニメーションのスピードや繰り返し方法などをカスタマイズすることができます。このように基本の書き方だけでも色々な表現を作ることができます。

6-8

CHAPTER

色々な見出しのアニメーション

ここまで作成してきたHTMLを使って、回転、色の変化、背景がのびる、ふよふよ動くなど色々な動きのある見出しを作ってみましょう。

くるっと回転する見出しを作る

▶ サンプルデータ
chapter6/08-demo1

前節の例とCSSは同じです。JavaScriptのコードもほとんど変更はしていません。くるっと回転させるために定数keyframesには「rotate」を追加しています。X軸で360度回転し、アニメーションが終わると「0」、つまり定位置に戻ります。

📄 js/script.js

```javascript
const heading = document.querySelector('#heading');

const keyframes = {
  opacity: [0, 1],
  rotate: ['x 360deg', 0],        // 追加した
};
const options = {
  duration: 1000,
  easing: 'ease',
};

heading.animate(keyframes, options);
```

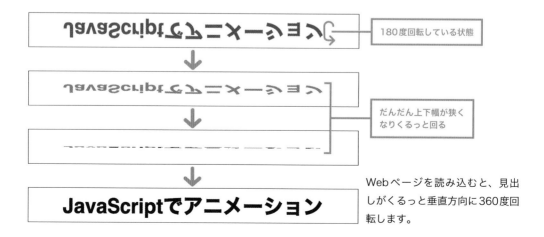

180度回転している状態

だんだん上下幅が狭くなりくるっと回る

Webページを読み込むと、見出しがくるっと垂直方向に360度回転します。

色が変化する見出しを作る

▶ サンプルデータ
chapter6/08-demo2

　動かす内容として文字色を赤、黄色、緑、水色と4色用意し、「,（カンマ）」で区切って書いています。開始と終了時の値のみではなく、複数の変化がある場合はこのように記述可能です。

　動きの詳細は終了地点までくると折り返して開始地点まで戻すため「direction: 'alternate'」を指定しています。また、ずっとアニメーションを繰り返すために「iterations: Infinity」を指定しています。

`js` js/script.js

```javascript
const heading = document.querySelector('#heading');

const keyframes = {
  color: ['#f66', '#fc2', '#0c6', '#0bd']          文字色を4色用意
};
const options = {
  duration: 8000,                                  終了地点にきたら開始地点に戻す指定
  direction: 'alternate',
  iterations: Infinity,                            ずっと繰り返す指定
};

heading.animate(keyframes, options);
```

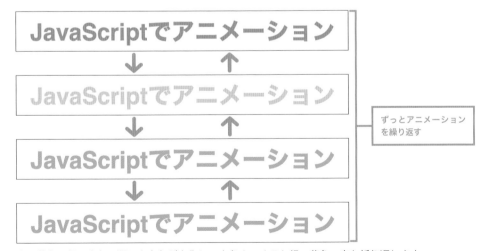

ずっとアニメーションを繰り返す

赤→黄色→緑→水色の順に文字色が変化し、水色までくると緑→黄色→赤と折り返します。

背景が伸びる見出しを作る

▶ サンプルデータ
chapter6/08-demo3

　見出しの背景にはCSSの「linear-gradient」を使い、くっきりと境目のある水色と白の2色を指定しています。その2色の境目をJavaScriptの「backgroundPosition」の値を動かすことで、見出しの四角形が伸びたように見せています。文字色もふわっと現れるように、透明から白になるよう指定しています。

📄 css/style.css

```css
body {
  text-align: center;
}
h1 {
  color: #fff;
  display: inline-block;
  background-image: linear-gradient(90deg, #0bd, #0bd 50%, #fff 50%, #fff);
  background-size: 200% 100%;
  padding: .5rem 1rem;
}
```

> linear-gradientで水色と白の2色を指定

📄 js/script.js

```js
const heading = document.querySelector('#heading');

const keyframes = {
  color: ['transparent', '#fff'],
  backgroundPosition: ['100% 0', '0 0'],
};
const options = {
  duration: 1000,
  easing: 'ease',
};

heading.animate(keyframes, options);
```

> 文字色を透明から白に

> 背景の位置を動かして四角形が伸びたように見せる

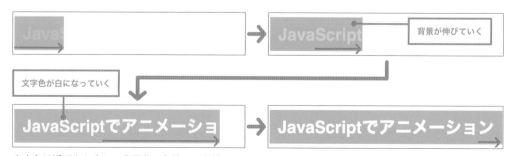

> 背景が伸びていく

> 文字色が白になっていく

文字色は透明から白に、背景色は左端から右端にかけてスーッと伸びてきます。

ふよふよ動く見出しを作る

見出しの四隅の角丸を「borderRadius」で指定しています。楕円の横の半径と縦の半径を「/（スラッシュ）」で区切り、左上、右上、右下、左下の順で、左上を基準に時計回りで書いていきます。値に少しずつ変化をつけることで、ゆらゆらと動く流体シェイプができあがります。

📄 css/style.css

```css
body {
  text-align: center;
}
h1 {
  background: #0bd;
  color: #fff;
  display: inline-block;
  padding: 6rem 3rem;
  border-radius: 50%;
}
```

📄 js/script.js

```js
const heading = document.querySelector('#heading');

const keyframes = {
  borderRadius: [
    '20% 50% 50% 70%/50% 50% 70% 50%',
    '50% 20% 50% 50%/40% 40% 60% 60%',
    '50% 40% 20% 40%/40% 50% 50% 80%',
    '50% 50% 50% 20%/40% 40% 60% 60%',
  ],
};
const options = {
  duration: 8000,
  direction: 'alternate',
  iterations: Infinity,
};

heading.animate(keyframes, options);
```

楕円の半径の大きさを少しずつ変更

背景が伸びたり縮んだりと、不思議な動きを繰り返します。

jQueryとは

jQueryはJavaScriptをより簡単に記述できるライブラリーです。自分で書く内容が少なくて済むので、初心者でも気軽にWebサイトに機能や動きを実装できます。

jQueryの使い方

jQueryを利用するには、まずjQuery本体となるファイルを読み込ませる必要があります。方法は以下の2通りがあります。

方法①ファイルをダウンロードする

クリック

jQueryのWebサイト（https://jquery.com/）からコードをダウンロードして読み込ませます。画面右側にある [Download jQuery] ボタンをクリックします。

右クリックして保存

移動したページの [Download the compressed, production jQuery 3.6.1※] を右クリックして「名前を付けてリンク先を保存」からファイルを保存します。

jQuery本体のファイルの下に自作のJavaScriptファイルを読み込ませて利用します。以下の例では「js」フォルダー内にダウンロードした「jquery-3.6.1.min.js」と、自作した「script.js」を保存して読み込ませています。

```
<!-- jQueryの読み込み -->
<script src="js/jquery-3.6.1.min.js"></script>

<!-- 自作のJavaScriptファイル -->
<script src="js/script.js"></script>
```

JQueryのファイルをHTML
内に読み込ませる

※本書では執筆時の最新バージョンである3.6.1を例にあげています。

方法②Web上から読み込む

オンラインで公開されているjQueryファイルを直接読み込むことも可能です※。ファイルが共有されているページ（https://releases.jquery.com/）にある「jQuery Core 3.6.1」の欄の「minified」をクリックします。

コードの記載されたダイアログが表示されるので、右端のコピーアイコンをクリックしてテキストをコピーします。

　左ページと同様に、jQueryを読み込ませたあとに自作のJavaScriptファイルを読み込ませます。

```
<!-- jQueryの読み込み -->
<script src="https://code.jquery.com/jquery-3.6.1.min.js" integrity=
"sha256-o88AwQnZB+VDvE9tvIXrMQaPlFFSUTR+nldQm1LuPXQ=" crossorigin=
"anonymous"></script>

<!-- 自作のJavaScriptファイル -->
<script src="js/script.js"></script>
```

コピーしたテキストをペースト

書き方の違い

　本書で紹介している基本的なJavaScriptの書き方では、HTMLの要素を取得するときに「document.querySelector」を使いました。以下の例では「list」というクラスのついた要素を取得します。

```
document.querySelector('.list')
```

　jQueryを使う場合、要素を取得するときは「$（ドルマーク）」に続いて丸カッコの中に必要なセレクターを記述します。

※方法②だと、インターネットにつながっていない環境では動作しない点に注意しましょう。

```
$('.list')
```

　このようにかなりすっきりと書けます。要素を取
得するだけでなく、クリックなどのイベント、関数
などの書き方も違いがあります。

　ただ、記述するコードが短くなってはいるものの、
膨大なコード量のjQuery本体を読み込ませた上での
簡易なコードなので、記述内容によっては読み込む
ファイルサイズが大きくなる可能性もあります。

　また、jQueryはJavaScript本来の書き方とは異
なるので、JavaScriptを深く理解することが困難と
もなり得ます。JavaScriptはjQueryを使わなくて
も実装できる範囲は広いため、jQueryを使うべきか
どうかは事前に検討するといいでしょう。

jQeury本体のコードの一部を拡大したもの

jQeury本体のファイル内容

COLUMN

—

Vanilla JSってなに？

　JavaScriptのライブラリーを調べているときに「Vanilla JS（バニラジェイエス）」という単語を見かけた人もいるかと思います。これは何もトッピングがされていないプレーンなバニラアイスクリームのように、jQueryなどのライブラリーを使っていない、素のJavaScriptのことになります。

　かつてはHTML要素の取得やイベントの記述などが今のように簡単ではなく、多くのWebサイトでjQuery（P.224「COLUMN　jQueryとは」）のような便利なライブラリーを利用していました。その後、「querySelector」や「addEventListener」などの機能がJavaScript標準で使えるようになったため、「外部のライブラリーを使わなくても、プレーンなJavaScriptで書けることも多いよ」という意味をこめて、Vanilla JSのようなジョークサイトが登場しました。

　つまり、Vanilla JSを使った、バニラで書いた、というのは、総じて「なんのライブラリーも使っていない、プレーンなJavaScript」を意味しているのです。

http://vanilla-js.com/

6-9 CHAPTER 複数の画像を順番に表示しよう

複数の画像を見せたいとき、1枚ずつふんわりと表示していくと優雅でおしゃれな雰囲気を演出できるでしょう。前節まで紹介したWeb Animations APIを使って、表示させるまでの時間を少し変更するだけで実装が可能です。

作成するWebページの紹介

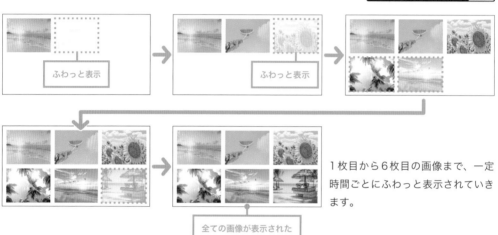

1枚目から6枚目の画像まで、一定時間ごとにふわっと表示されていきます。

完成コード

index.html

```html
<!DOCTYPE html>
<html lang="ja">
<head>
    <meta charset="UTF-8">
    <meta name="viewport" content="width=device-width, initial-scale=1.0">
    <title>6-9. 複数の画像を順番に表示しよう</title>
    <link rel="stylesheet" href="css/style.css">
    <script src="js/script.js" defer></script>
</head>
<body>
    <div class="grid">
        <img class="img-item" src="images/summer1.jpg" alt="">
        <img class="img-item" src="images/summer2.jpg" alt="">
        <img class="img-item" src="images/summer3.jpg" alt="">
        <img class="img-item" src="images/summer4.jpg" alt="">
        <img class="img-item" src="images/summer5.jpg" alt="">
        <img class="img-item" src="images/summer6.jpg" alt="">
    </div>
```

```
  </body>
</html>
```

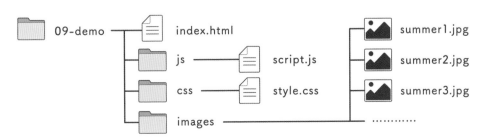 **js/script.js**

```javascript
const items = document.querySelectorAll('.img-item');

for (let i = 0; i < items.length; i++) {
  const keyframes = {
    opacity: [0, 1]
  };
  const options = {
    duration: 600,
    delay: i * 300,
    fill: 'forwards',
  };
  items[i].animate(keyframes, options);
}
```

css/style.css

```css
.grid {
    display: grid;
    gap: 30px;
    grid-template-columns: repeat(auto-fit, minmax(300px, 1fr));
    max-width: 1020px;
    margin: auto;
    padding: 30px;
}
.img-item {
    opacity: 0;
    width: 100%;
    aspect-ratio: 4 / 3;
    object-fit: cover;
}
```

■ ディレクトリー構成

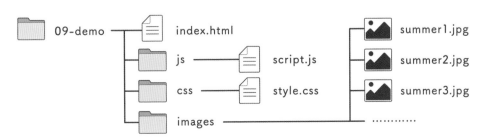

6-10
CHAPTER

複数の画像を順番に表示しよう
すべてのクラスを取得しよう

ここまでずっと特定のHTML要素を利用するためにID属性を使って指定してきました。次はクラス属性のついた要素を取得して、複数の画像に対して動きをつける準備をしていきましょう。

■ ベースのコーディング

まずは必要となる画像やスタイルを書いておきます。HTMLでは「img-item」というクラスのついた画像を複数用意しています。

📄 index.html

```html
<!DOCTYPE html>
<html lang="ja">
<head>
    <meta charset="UTF-8">
    <meta name="viewport" content="width=device-width, initial-scale=1.0">
    <title>6-9.複数の画像を順番に表示しよう</title>
    <link rel="stylesheet" href="css/style.css">
    <script src="js/script.js" defer></script>
</head>
<body>
    <div class="grid">
        <img class="img-item" src="images/summer1.jpg" alt="">
        <img class="img-item" src="images/summer2.jpg" alt="">
        <img class="img-item" src="images/summer3.jpg" alt="">
        <img class="img-item" src="images/summer4.jpg" alt="">
        <img class="img-item" src="images/summer5.jpg" alt="">
        <img class="img-item" src="images/summer6.jpg" alt="">
    </div>
</body>
</html>
```

クラス名のついた
複数の画像を用意

CSSでは画像をタイル型に表示させるようにCHAPTER 5とほぼ同じスタイルを指定しています。

📄 css/style.css

```css
.grid {
    display: grid;
```

```
    gap: 30px;
    grid-template-columns: repeat(auto-fit, minmax(300px, 1fr));
    max width: 1020px;
    margin: auto;
    padding: 30px;
}
.img-item {
    opacity: 0;
    width: 100%;
    aspect-ratio: 4 / 3;
    object-fit: cover;
}
```

そしてJavaScriptには、P.220「6-8　色々な見出しのアニメーション」の書き方をベースにアニメーションの指定をしました。

　今回取得する要素はIDではなくクラスなので、「querySelector」のカッコの中には「'.img-item'」としています。動かす内容には「opacity」で透明から不透明に変化する指定、動きの詳細には再生時間の「duration」を600ミリ秒に、アニメーションの再生後に不透明の状態を維持させるために「fill: 'forwards'」も記述しています。

📄 js/script.js

```
const items = document.querySelector('.img-item');          クラスの指定

const keyframes = {
  opacity: [0, 1]                                          透明から不透明にする指定
};
const options = {
  duration: 600,                                           再生時間600ミリ秒
  fill: 'forwards',
};                                                         再生後、不透明を維持

items.animate(keyframes, options);
```

ブラウザーで確認すると以下のようになります

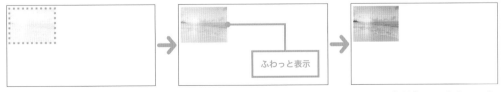

ふわっと表示

透明から不透明に、ふわっと画像が表示されるのですが、最初の1つしか現れません。これは「querySelector()」では複数のHTML要素が見つかった場合、最初の1つしか取得できないからです。

クラスのついた要素をすべて取得する

指定したすべての要素を取得したい場合は、「querySelector()」ではなく、「querySelector All()」を使います。使い方は「querySelector()」と同じで、カッコの中にCSSセレクターを書きます。

📄 記述例

```
document.querySelectorAll('CSSセレクター ')
```

「querySelectorAll()」に書き換え、どのように取得されるのか、コンソールで見てみましょう。

📄 js/script.js

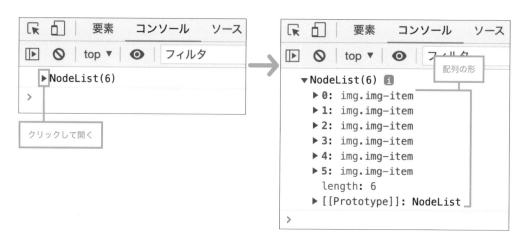

```
const items = document.querySelectorAll('.img-item');    「All」を追加
console.log(items);                                       コンソールで確認

（・・・以下省略・・・）
```

コンソールで見ると「NodeList(6)」が表示されました。「querySelectorAll()」で複数のHTML要素を取得すると、NodeListという配列形式のデータが返ってきます。

左の三角形をクリックするとP.154「5-3　配列で複数の画像のファイル名をまとめよう」で見たような配列の形になって出力されているのがわかります。配列ということは、1つひとつの要素を個別に取得するため、for文を使う必要があります。

✓ POINT

もし配列やfor文についてわからない所がありましたら、CHAPTER 5、および巻末の索引に出てくる各ページを参照してください。

通常の配列と同じように「length」を使って要素の数も取得できるため、for文を使って以下のような書き方で6つの画像をそれぞれ出力できるようになります。インデックスを使って配列の要素を個別に取得するので、定数itemsのあとにインデックスを付け、「items[i]」とします。

また、コンソールで確認するための記述はもう不要なので、コメントアウトしておきましょう。

📄 js/script.js

```js
const items = document.querySelectorAll('.img-item');
// console.log(items);                                    コメントアウトする

for (let i = 0; i < items.length; i++) {
  const keyframes = {
    opacity: [0, 1]
  };
  const options = {                                       for文を使って6つの画像を出力
    duration: 600,
    fill: 'forwards',
  };
  items[i].animate(keyframes, options);
}
```

定数itemsのあとにインデックスを付けitems[i]とする

これですべての画像がふわっと表示されました。

今の段階ではすべて同じタイミングで表示されるので、次節から順番に表示されるよう調整しましょう。

6-11
CHAPTER

複数の画像を順番に表示しよう
1つずつ遅延させよう

画像を1枚ずつ表示できます。画像の表示を遅らせるために動きの詳細にてアニメーションの開始時間を調整しましょう。

delayでアニメーションの開始時間を遅延させる

　動きの詳細ではタイミングの指定ができます。「delay」はアニメーションの開始時間を遅らせることができ、整数値のミリ秒で記述します。例えば0.3秒の場合、数値で「300」と記述します。

　ただし、単純に「delay: 300」と記述すると、すべての画像が0.3秒遅れて同時に表示されるだけです。1枚ずつタイミングをずらすには、値に「i」をかけるといいでしょう。

　変数「i」には配列のインデックスを格納しているので、最初の画像には「0」がかけられて遅延は0秒、つまりページが読み込まれたタイミングでアニメーションが開始します。

　2番めの画像はインデックスが「1」なので、1がかけられて0.3秒の遅延、3番めの画像はインデックスが「2」なので0.6秒の遅延…というように、少しずつタイミングがずれてアニメーションが発動するようになります。

items[0] の画像
delay: 0 × 0.3秒
0秒の遅延

items[1] の画像
delay: 1 × 0.3秒
0.3秒の遅延

items[2] の画像
delay: 2 × 0.3秒
0.6秒の遅延

js/script.js

```
const items = document.querySelectorAll('.img-item');

for (let i = 0; i < items.length; i++) {
  const keyframes = {
    opacity: [0, 1]
  };
  const options = {
    duration: 600,
    delay: i * 300,
    fill: 'forwards',
  };
  items[i].animate(keyframes, options);
}
```

追加した

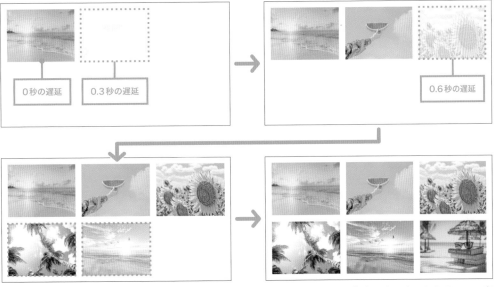

0秒の遅延　0.3秒の遅延　0.6秒の遅延

このように、Web Animations APIでは変数をアニメーションに組み込んで指定できるようになるので、表現の幅はグンッと広がります。

6-12
CHAPTER

色々な画像のアニメーション

ここまで作成してきた「6-9 複数の画像を順番に表示しよう」と同じHTMLを使って、画像にさまざまな動きをつけて表示してみましょう。

■ 回転する画像にする

▶ サンプルデータ
chapter6/12-demo1

前節まででは「opacity」の値を変えて、画像を1つずつ透明から不透明にしてきましたが、その動きにrotateプロパティも足して回転させてみましょう。アニメーション開始時に「'x 90deg'」と指定することで、横軸に90度回転しながら画像が表示されるようになります。

📄 js/script.js

```js
const items = document.querySelectorAll('.img-item');

for (let i = 0; i < items.length; i++) {
  const keyframes = {
    opacity: [0, 1],
    rotate: ['x 90deg', 0],                          追加した
  };
  const options = {
    duration: 600,
    delay: i * 300,
    fill: 'forwards',
  };
  items[i].animate(keyframes, options);
}
```

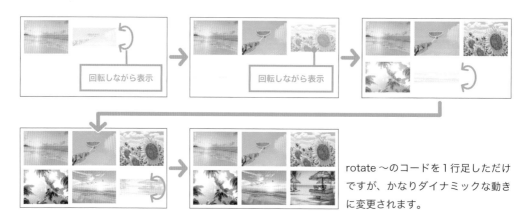

回転しながら表示

回転しながら表示

rotate〜のコードを1行足しただけですが、かなりダイナミックな動きに変更されます。

下から浮き上がる画像にする

▶ サンプルデータ
chapter6/12-demo2

次はtranslateプロパティで表示する位置を変更する指定を加えました。P.208「6-4　見出し
を下から浮き上がらせよう」と同じ動きです。この例では下から上に移動させていますが、横に
移動させたり、上から落ちてくるように変更してもおもしろい表現になっていきそうです。

js js/script.js

```js
const items = document.querySelectorAll('.img-item');

for (let i = 0; i < items.length; i++) {
  const keyframes = {
    opacity: [0, 1],
    translate: ['0 50px', 0],          ┐────────────── 追加した
  };
  const options = {
    duration: 600,
    delay: i * 300,
    fill: 'forwards',
  };
  items[i].animate(keyframes, options);
}
```

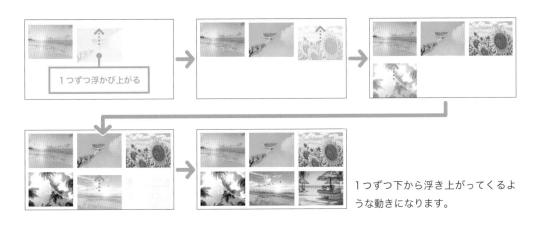

1つずつ下から浮き上がってくるような動きになります。

ふわふわと落ちてくるような画像にする

複数の動きを加えてみてもいいでしょう。この例では「rotate」で回転、「scale」で拡大の指定をしています。なお、「rotate」の値は単位が必要なのでシングルクォーテーションで囲んで文字列として指定していますが、値が0の場合はシングルクォーテーションは不要です。「scale」は拡大率を指定しています。単位は不要なので、シングルクォーテーションなしの数値として扱っています。

📄 js/script.js

```javascript
const items = document.querySelectorAll('.img-item');

for (let i = 0; i < items.length; i++) {
  const keyframes = {
    opacity: [0, 1],
    rotate: ['5deg', 0],
    scale: [1.1, 1],
  };
  const options = {
    duration: 600,
    delay: i * 300,
    fill: 'forwards',
  };
  items[i].animate(keyframes, options);
}
```

追加した

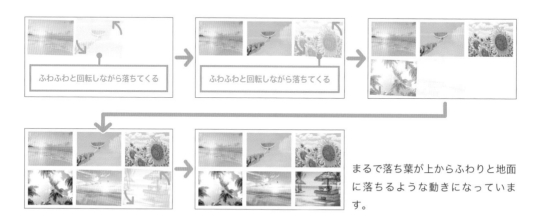

まるで落ち葉が上からふわりと地面に落ちるような動きになっています。

ぼかしがなくなりくっきりと表示される画像

「filter」を使ってもおもしろい効果が生まれます。例では初期値で「blur(20px)」を指定してぼかした状態にし、「blur(0)」に変化することで徐々にくっきりと画像を表示していきます。

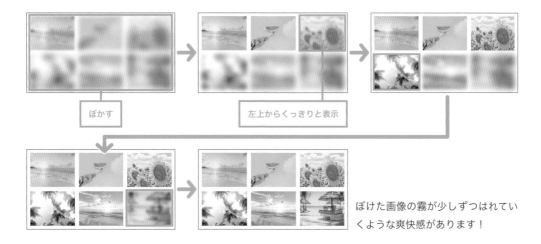

CSS css/style.css

```css
.img-item {
    filter: blur(20px);              ─── 追加した
    width: 100%;
    aspect-ratio: 4 / 3;
    object-fit: cover;
}
```

JS js/script.js

```js
const items = document.querySelectorAll('.img-item');

for (let i = 0; i < items.length; i++) {
  const keyframes = {
    filter: ['blur(20px)', 'blur(0)'],     ─── 追加した
  };
  const options = {
    duration: 600,
    delay: i * 300,
    fill: 'forwards',
  };
  items[i].animate(keyframes, options);
}
```

ぼかす

左上からくっきりと表示

ぼけた画像の霧が少しずつはれてい
くような爽快感があります！

filterプロパティは他にも「brightness()」で明度、「saturate()」で彩度、「grayscale()」で
白黒など、様々な効果があるので試してみるといいでしょう※。

※参照：filter - CSS: カスケーディングスタイルシート | MDN…https://developer.mozilla.org/ja/docs/Web/CSS/filter

6-13
CHAPTER

スクロールとアニメーションを組み合わせよう

昨今の動きのついたWebページでは、スクロールと連動して要素が表示されたり、動作する仕掛けをよく見かけます。シンプルなものであれば意外と少ないコードで実装することもできます。

作成するWebページの紹介

▶ サンプルデータ
chapter6/13-demo

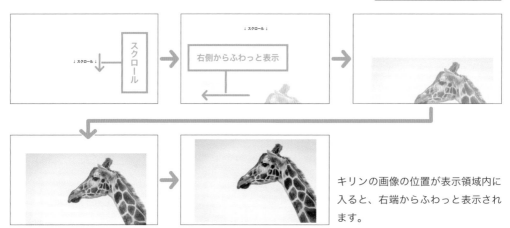

キリンの画像の位置が表示領域内に入ると、右端からふわっと表示されます。

完成コード

index.html

```html
<!DOCTYPE html>
<html lang="ja">
<head>
    <meta charset="UTF-8">
    <meta name="viewport" content="width=device-width, initial-scale=1.0">
    <title>6-13. スクロールとアニメーションを組み合わせよう</title>
    <link rel="stylesheet" href="css/style.css">
    <script src="js/script.js" defer></script>
</head>
<body>
    <h1>↓ スクロール ↓</h1>
    <img src="images/kirin.jpg" id="kirin" alt="キリン">
</body>
</html>
```

js/script.js

```js
// 監視対象が範囲内に現れたら実行する動作
const showKirin = (entries) => {
  const keyframes = {
    opacity: [0, 1],
    translate: ['200px 0', 0],
  };
  entries[0].target.animate(keyframes, 600);
};

// 監視ロボットの設定
const kirinObserver = new IntersectionObserver(showKirin);

// #kirinを監視するよう指示
kirinObserver.observe(document.querySelector('#kirin'));
```

css/style.css

```css
body {
    text-align: center;
    padding: 1rem;
}
h1 {
    margin: 50vh 0 50vh;
}
img {
    max-width: 100%;
}
```

■ ディレクトリー構成

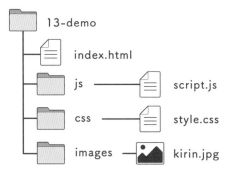

6-14
CHAPTER

スクロールとアニメーションを組み合わせよう
Intersection Observerの仕組み

ページをスクロールして動作を発動させるための基本的な仕組みや考え方を見ていきましょう。少しイメージしづらいかもしれないので、「動物園に監視ロボットを導入した」というストーリーを例にして説明します。

■ ベースのHTML/CSS

まずはこれまで通り、ベースとなるHTML/CSSのファイルを用意しましょう。HTMLではキリンの画像を用意し、この画像を操作するために「kirin」というIDを付与しておきます。

 index.html

```html
<!DOCTYPE html>
<html lang="ja">
<head>
    <meta charset="UTF-8">
    <meta name="viewport" content="width=device-width, initial-scale=1.0">
    <title>6-13. スクロールとアニメーションを組み合わせよう</title>
    <link rel="stylesheet" href="css/style.css">
    <script src="js/script.js" defer></script>
</head>
<body>
    <h1>↓ スクロール ↓</h1>
    <img src="images/kirin.jpg" id="kirin" alt="キリン">
</body>
</html>
```

> 画像に「kirin」とIDを付与した

css/style.css

```css
body {
    text-align: center;
    padding: 1rem;
}
h1 {
    margin: 50vh 0 50vh;
}
img {
    max-width: 100%;
}
```

> CSSではスクロールしたときの動作がわかりやすいように、見出しの上下に多めに余白をとっているが特別な指定はしていない

Intersection Observer APIとは

従来、スクロールにあわせて要素を操るには、P.132「4-14　ページのスクロール量を表示しよう スクロール量を取得しよう」でも紹介した「scroll」というイベントを利用していました。ただ、それだと画面サイズが変わったら再計算しないといけなかったり、スクロールするたびに関数を呼び出すので、パフォーマンスへの悪影響が懸念されていました。

今回の例では特定の要素が監視領域に入ったらなにかしらの動作をすればいいことになります。その場合は「**Intersection Observer**（インターセクションオブザーバー）」が使えます。「Intersection Observer」は直訳すると「交差の監視者」という意味で、特定の要素が指定領域内に入ったかどうかを検知するJavaScriptの機能の1つです。この特定の要素が指定領域内に入った状態のことを「**交差している**」と表現します。

「Intersection Observer」では交差したことを検知すると、事前に用意しておいた関数を呼び出してなんらかの動作が実行します。前述の「scroll」を使った手法と違ってスクロールするたびに反応するわけではないので、ブラウザーへの負担を少なく実装できます。

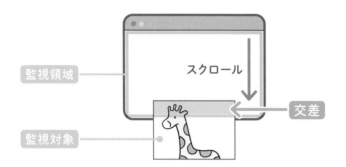

交差したことを検知すると、関数を呼び出して動作を実行する

さて、この段階ですでにいろいろな聞き慣れない単語が飛び交ってきたので、節の冒頭で触れた「動物園に監視ロボットを導入した」というストーリーで考えてみましょう。

とある動物園で監視ロボットを導入することにしました。指定するエリアに特定のキリンが入ってくると「キリンさんです」とお知らせするように設定したいです。最終イメージは下の図のようなかたちですね。

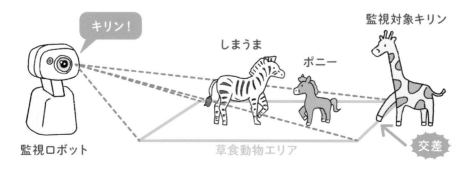

■ 基本の書き方

基本的な書き方の流れは以下の4ステップです。

❶監視ロボットに、して欲しい内容を決めておく
❷新しい名前をつけて監視ロボットを導入する
❸監視ロボットに❶で決めた動作内容を指示する
❹監視ロボットに監視対象を教えて実行する

❶監視ロボットに、して欲しい内容を決めておく

まずは動作内容を関数で定義しておきます。ここでは関数名を「showKirin」にして、動作内容にはコンソールに「キリンさんです」と出力するというシンプルな内容にしました。

📄 js/script.js

```js
// 監視対象が範囲内に現れたら実行する動作
const showKirin = () => {        ──────────────── 関数名
  console.log('キリンさんです');
};
```

❷新しい名前をつけて監視ロボットを導入する

「Intersection Observer」の機能を使うには「new IntersectionObserver()」と記述する必要があります。ここでは「キリンの監視者」という意味をこめて「kirinObserver」という定数名をつけました。市販されている他の監視ロボットと区別するために、名前をつけて初期設定するようなものです。

📄 js/script.js

```js
// 監視対象が範囲内に現れたら実行する動作
const showKirin = () => {
  console.log('キリンさんです');
};

// 監視ロボットの設定
const kirinObserver = new IntersectionObserver();   ── 「kirinObserver」という定数名を付ける
```

❸監視ロボットに❶で決めた動作内容を指示する

❷で記述した「new IntersectionObserver()」のカッコ内には❶で決めた関数名「showKirin」を指定します。これで監視ロボット「kirinObserver」に何をすればいいのかを教えられました。

[JS] js/script.js

```
// 監視対象が範囲内に現れたら実行する動作
const showKirin = () => {
  console.log('キリンさんです');
};

// 監視ロボットの設定
const kirinObserver = new IntersectionObserver(showKirin);
```

関数名を指定
動作内容を指示する

❹監視ロボットに監視対象を教えて実行する

現時点ではまだ初期設定をしただけで、スタートボタンを押していません。実際に監視をはじめるには「IntersectionObserver」に用意されている「observe()」というメソッドを使います。日本語で「監視する」という意味ですね。定数「kirinObserver」にドットでつなげて「observe()」と記述することで、監視が始まります。

[JS] js/script.js

```
// 監視対象が範囲内に現れたら実行する動作
const showKirin = () => {
  console.log('キリンさんです');
};

// 監視ロボットの設定
const kirinObserver = new IntersectionObserver(showKirin);

// #kirinを監視するよう指示
kirinObserver.observe();
```

監視するように指定

ただし、まだ「何を監視するか」が指定されていません。上記observe()メソッドのカッコの中に監視対象を指示します。今回はID名「kirin」を監視したいので、「document.querySelector('#kirin')」とするといいでしょう。

[JS] js/script.js

```
// 監視対象が範囲内に現れたら実行する動作
const showKirin = () => {
  console.log('キリンさんです');
};

// 監視ロボットの設定
const kirinObserver = new IntersectionObserver(showKirin);
```

```
// #kirinを監視するよう指示
kirinObserver.observe(document.querySelector('#kirin'));
```

kirinを監視するように指示

　これで監視ロボット「kirinObserver」に、『「#kirin」を監視してね。エリア内に入ったらコンソールに「キリンさんです」と出力してね』という指示ができます。

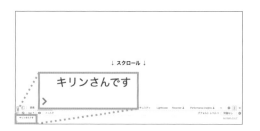

　コンソールを確認すると、ページを読み込んだ瞬間に一度「キリンさんです」と出力されます。さらにゆっくりスクロールしていき、監視対象であるキリンの画像が少しでも表示されたとき、つまり画像が可視領域に交差したときに「キリンさんです」と出力されます（カウントが増えます）。

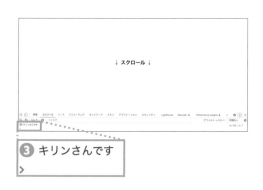

　次に上にスクロールしてみましょう。だんだん画像が見えなくなっていき、画像が完全に見えなくなったときに再び「キリンさんです」と出力されます（カウントが増えます）。つまり、Intersection Observerでは以下の3つのタイミングで関数が実行されることがわかります。

● 監視が始まったとき
● 監視対象がエリア内（画面）に入ったとき
● 監視対象がエリア内（画面）から出たとき

　今回、実際にアニメーションをつけて動かしたいのは監視対象となっているID名「kirin」のHTML要素です。次節からその処理ができるよう準備していきます。

6-15
CHAPTER

スクロールとアニメーションを組み合わせよう
交差状態の情報を見てみよう

監視対象となったHTML要素そのものになんらかの動作を指示するには、監視対象の情報を取得する必要があります。ここではID名「kirin」のついた画像を取得します。

▊ 監視対象の情報を取得する

　前節で導入した監視ロボットは有能です。ただ監視するだけではなく、監視対象のサイズや名前、監視エリアに入っているかどうかなどの情報もすべて把握できます。これは、「Intersection Observer」で監視が始まって、用意しておいた関数が呼び出されるとき、引数として交差状態に関する情報が含まれるオブジェクトが自動的に渡されるからです。情報は監視対象が複数の場合もあるので、配列で渡されます。

　実際にどういったものなのか見てみないとわかりづらいところかと思いますので、コードを書き足して確認していきましょう。関数「showKirin」の丸カッコの中に「entries」と書き加えます。この「entries」の中に交差状態の情報が配列で入ってきます。ここでは慣習的に「entries」という名前にしていますが、他の名前に変更しても動作します。

　きちんと情報が受け取れているか確認します。前節で「'キリンさんです'」としていたところを「entries」に書き換え、コンソールに出力します。

▧ js/script.js

```js
// 監視対象が範囲内に現れたら実行する動作
const showKirin = (entries) => {
  console.log(entries);
};

// 監視ロボットの設定
const kirinObserver = new IntersectionObserver(showKirin);

// #kirinを監視するよう指示
kirinObserver.observe(document.querySelector('#kirin'));
```

書き加えた

書き換えた

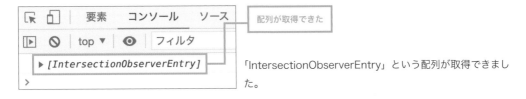

配列が取得できた

「IntersectionObserverEntry」という配列が取得できました。

左側の三角形をクリックすると、配列に入っている各要素が一覧表示されます。

今回は1つしかないのでインデックス0番目の情報だけが表示されています。ということは、entries配列の0番目を指定すれば、監視対象であるID「kirin」の画像の情報が取得できるはずです。「entries[0]」と書き換えてみましょう。

📄 js/script.js

```
// 監視対象が範囲内に現れたら実行する動作
const showKirin = (entries) => {
  console.log(entries[0]);                      ← 書き換えた
};

// 監視ロボットの設定
const kirinObserver = new IntersectionObserver(showKirin);

// #kirinを監視するよう指示
kirinObserver.observe(document.querySelector('#kirin'));
```

先ほどと似たような内容ですが、インデックスの「0」という表示がなくなりました。

さらに三角形をクリックして展開すると、色々な情報が出てきました。情報がオブジェクトとしてまとめられています。

これはP.185「5-10　配列とオブジェクトを組み合わせてデータをひとまとめにしよう」で学習した配列の中にオブジェクトが入っている状態です。取得された情報を確認しましょう。

プロパティ	意味
boundingClientRect	監視対象の要素のサイズや位置。top, bottom, left, right, width, height, x, y が参照可能。
intersectionRect	監視対象の要素が表示されている部分のサイズや位置。top, bottom, left, right, width, height, x, y が参照可能。
intersectionRatio	監視対象の要素が監視している領域と交差している割合。0〜1の数値。
isIntersecting	監視対象の要素が、監視している領域に入っているかどうか。
rootBounds	監視している領域のサイズや位置。top, bottom, left, right, width, height, x, y が参照可能。
target	監視対象の要素
time	交差が記録された時刻（ミリ秒）

この情報をもとに、改めてコンソールに出力された情報を見てみると、監視対象は横幅が1200px、高さが800px、この時点で交差はしていない、ID名がkirinのimg要素である…など、様々なことがわかります。実際の細かい指定はCHAPTER 7で試すので、今は「色々な情報が取得できるのだな」と思っていただければOKです。

今回は監視対象の要素を取得したいので、この中のtargetプロパティを使ってみましょう。オブジェクトなのでP.180「5-9　オブジェクトの情報を取得しよう」で学習したドット記法を使ってプロパティを指定できます。

📄 js/script.js

```
// 監視対象が範囲内に現れたら実行する動作
const showKirin = (entries) => {
  console.log(entries[0].target);
};

// 監視ロボットの設定
const kirinObserver = new IntersectionObserver(showKirin);

// #kirinを監視するよう指示
kirinObserver.observe(document.querySelector('#kirin'));
```

targetプロパティを追加する

| 要素 | コンソール | ソース | パフォーマンス | ネットワーク |

top ▼ | 👁 | フィルタ

```
<img src="images/kirin.jpg" id="kirin" alt="キリン">
```

無事に監視対象の要素を取得できました。次節はいよいよこの監視対象にアニメーションを加えていきます。

スクロールとアニメーションを組み合わせよう
動きを加えてみよう

前節で作成したコードにアニメーションの指定を加えれば完成です。監視対象であるキリンの画像にアニメーションを指定しましょう。アニメーションにはWeb Animations APIを利用します。

▌動作させる内容にアニメーションを追加する

　P.210「6-5　見出しを下から浮き上がらせよう アニメーションの基本の書き方」を参考にアニメーションに関する指定をします。まずは動かす内容を用意しておきましょう。ここでは定数名「keyframes」に透明から半透明にする「opacity」と、右側200pxの位置から移動させるための「translate」を記述しました。

📄 js/script.js

```js
// 監視対象が範囲内に現れたら実行する動作
const showKirin = (entries) => {
  const keyframes = {
    opacity: [0, 1],
    translate: ['200px 0', 0],
  };
  console.log(entries[0].target);
};

// 監視ロボットの設定
const kirinObserver = new IntersectionObserver(showKirin);

// #kirinを監視するよう指示
kirinObserver.observe(document.querySelector('#kirin'));
```

追加した

　そして、監視対象である「entries[0].target」に、animate()メソッドで動かす内容と再生時間を指定します（コンソールで表示させるための指定は消しておきます）。動かす内容は先ほど記述した「keyframes」です。再生時間は600とし、0.6秒かけてキリンが表示領域に入ったらふわっと表示されるアニメーションを実行します。

📄 js/script.js

```
// 監視対象が範囲内に現れたら実行する動作
const showKirin = (entries) => {
  const keyframes = {
    opacity: [0, 1],
    translate: ['200px 0', 0],
  };
  entries[0].target.animate(keyframes, 600);        ⟵ 追加した
};

// 監視ロボットの設定
const kirinObserver = new IntersectionObserver(showKirin);

// #kirinを監視するよう指示
kirinObserver.observe(document.querySelector('#kirin'));
```

キリンが表示領域に入ったらふわっと表示

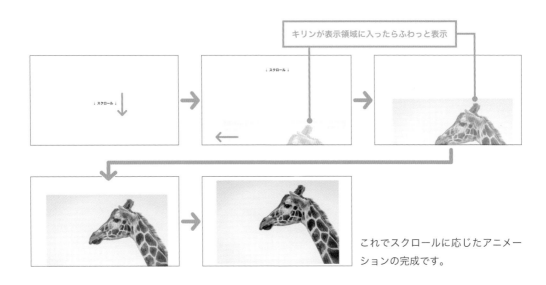

これでスクロールに応じたアニメーションの完成です。

　基本の書き方さえおさえておけば、色々なカスタマイズができます。次のCHAPTER 7では複数の要素を扱う書き方も紹介します。

交差判定のオプションについて

Intersection Observerを使って交差判定するときは、基本的に「new Intersection Observer(実行する関数)」を呼び出せばOKでした。このとき、第一引数に実行する関数を指定しますが、カンマで区切って第二引数に以下で説明するオプションの設定も記述できます。その場合は「new IntersectionObserver(実行する関数, オプション指定)」のような記述になります。なお、オプションはデフォルト値でよければ記述する必要はありません。オプションでは、以下設定が可能です。

root

ターゲットとなる要素が見えるかどうかを判定するためのベース部分を指定します。デフォルトはブラウザーの画面（ビューポート）です。

rootMargin

交差を検知する、上記「root」からの距離です。これを利用してイベントを発生させる位置を調整できます。例えば10pxを指定した場合、交差の判定をroot要素の周りから10px分拡大します。「見える少し前に実行させたい」といったときに使えます。また、要素が見えてきてから実行させたいときは負の値を指定するといいでしょう。

記述方法はCSSの「margin」とほぼ同じですが、単位は「px」か「%」に限られます。CSSとは違い、「0」としたい場合でも「0px」と書き、単位を省略できない点に注意しましょう。デフォルトは「0px」です。

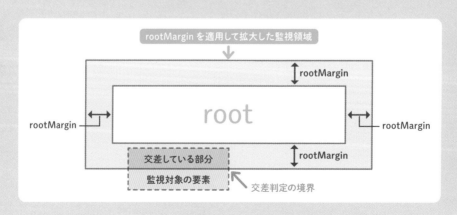

threshold

　関数を実行するタイミングを「0〜1」の間で記述します。監視対象が見えている割合とも言えます。ターゲットとなる要素が見え始めた瞬間と見え終わりの瞬間が「0」、半分通過したときは「0.5」、すべて見えている状態が「1」です。

　「[0, 0.5, 1]」のように配列形式でも記述できます。その場合は交差量が「0、50%、100%」のときに実行したい関数が呼ばれます。デフォルトでは「0」です。

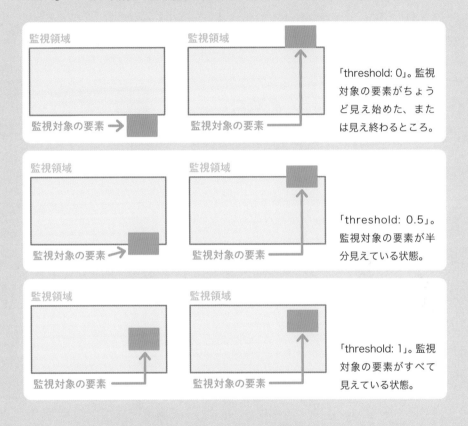

　オプションを指定する場合は、以下のような形で記述します。

```
const options = {
  root: document.querySelector('#scrollArea'),
  rootMargin: '10px',
  threshold: 0.8
};

const observer = new IntersectionObserver(callback, options);
```

—

CSSアニメーションとの違い

　CSSだけでも「transition」や「animation」プロパティを使ってアニメーションを実装することは可能です。ではCSSのアニメーションとJavaScriptのWeb Animations APIのアニメーションは違いがあるのでしょうか、比較してみます。

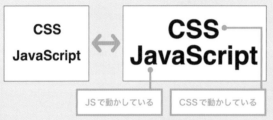

サンプルデータ
chapter6/col-css
animation-demo

<h2>タグのテキストを2秒かけて2倍に拡大して元の大きさに戻すというシンプルな動きです。コードはサンプルデータを確認ください。

HTML …………	<h2>タグに見出しを入れています。CSSとJavaScript用にクラスも入れてあります。
CSS …………	「@keyframes」で最初の地点（0%）、中間地点（50%）、最終地点（100%）を作成し、それぞれ拡大率を指定しています。実際に動作させたい要素、ここでは「.animation-css」に、「animation」プロパティを使って呼び出し、再生速度や無限ループの指示などをしています。
JavaScript …	定数「heading」に「animate()」で動きの内容や再生時間、無限ループの指示をしています。一見コードの量もさほど変わらないためこの例の場合はCSS、JavaScriptのどちらを使っても問題なさそうです。

　Web Animations APIの一番の特徴は、やはりJavaScriptベースなので、JavaScriptでサポートされている関数と組み合わせたり、P.234「6-11　複数の画像を順番に表示しよう 1つずつ遅延させよう」のように変数を加えた動きも実装できる点です。if文を使って条件をつけることも可能です。

　また、Web Animations APIを使えば、動きに関する指定を一元管理できます。つまり、コンテンツ内容はHTML、見た目の装飾はCSS、機能や動きはJavaScriptという棲み分けが、より明確になります。

　カーソルをあわせると少し見た目が変わる程度のものであれば、CSSを使って実装すると楽でしょう。より複雑で、ユーザーの操作に合わせた高度なアニメーションにしたい時はJavaScriptを利用するといいでしょう。

CHAPTER 7

Webページを作ってみよう！

ここまではJavaScriptの基本の書き方を学びつつ、主にパーツごとの作成をしてきました。この章では今までの集大成として、1つのWebページを作ります。手を動かしてWebページを完成させながらJavaScriptの組み込み方を学びましょう。

7-1
CHAPTER

作成するWebページの紹介

この章ではファッションブランドのWebサイトを作成します。アニメーションとともに画像を大きく打ち出して、「見せる」ことにフォーカスしたデザインです。JavaScriptを使って作っていきます。

■ 完成イメージ

▶ サンプルデータ
chapter7/Fashion

デスクトップサイズ

モバイルサイズ

■ ローディング画面

ページを開くと「Loading」の文字が表示された後、薄い緑色のスクリーンが上がって、コンテンツが表示されます。このアニメーションを作ります。

■ 画像ギャラリー

小さなサムネイル画像にカーソルをあわせると、左側に大きく画像が表示されます。カーソルをあわせたときの光るアニメーションも実装します。

■ スライドメニュー

右上のハンバーガーアイコンをクリックすると、右端からメニューパネルが表示されます。また、各メニューリストは上から順に表示されます。

■ スクロールで要素を表示

ページをスクロールすると、少しぼやけて透明だった要素が下からふわっと浮かび上がるように表示されます。ワクワクする動きが作れます。

完成コード

この章のコードはとても長いため、全文を掲載することができません。詳しくは提供しているサンプルデータをご確認ください。また、次ページから解説する各節でコードを掲載しておりますので、1つひとつ学んでいってもいいでしょう。

📄 index.html

コードはサンプルデータを確認！

```html
<!DOCTYPE html>
<html lang="ja">
<head>
    <meta charset="UTF-8">
    <meta name="viewport" content="width=device-width, initial-scale=1.0">
    <title>WCB Fashion Collection</title>
    <link rel="stylesheet" href="https://unpkg.com/ress/dist/ress.min.css">
    <link rel="preconnect" href="https://fonts.googleapis.com">
    <link rel="preconnect" href="https://fonts.gstatic.com" crossorigin>
    <link href="https://fonts.googleapis.com/css2?family=Oswald:wght@600&display=swap" rel="stylesheet">
    <link rel="stylesheet" href="css/style.css">
    <script src="js/script.js" defer></script>
    <link rel="icon" href="images/favicon.svg" type="image/svg+xml">
</head>
<body>
```

未完成のサンプルデータ

▶ サンプルデータ
chapter7/01-demo

この章では動きのついていない未完成のサンプルデータを用意しております。解説を読みながら必要なコードを付け足し、一緒に1つのページを完成させましょう！ サンプルデータは右上の指定の場所からみつけてください。QRコードからデモファイルを閲覧できますが、サンプルファイルをダウンロードして作業するといいでしょう。詳しくはP.012を参照してください。

ディレクトリー構成

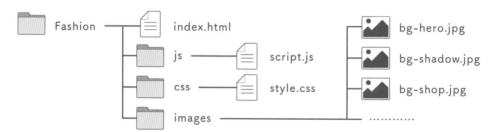

7-2
CHAPTER

ローディングから画面遷移

ページやコンテンツの読込中、何も表示されない真っ白な画面が延々と続くと、なんだか不安になりますよね。そんなときのためにも、読込中だと認識できるローディングアニメーションを取り入れてみるといいでしょう。

■ この部分の完成イメージ

▶ サンプルデータ
chapter7/02-demo

単純に「Loading」の文字を表示させるだけでなく、淡い緑色のスクリーンを下から上に移動させながら、徐々にローディング画面を透明にしてコンテンツをふんわり表示していきます。これから現れる素敵なWebページがどんなものなのか、楽しみにしてもらいたい瞬間です。

■ 完成コード

`HTML` index.html

```html
<div id="loading">
    <p>Loading...</p>
    <div id="loading-screen"></div>
</div>
```

`JS` js/script.js

```javascript
const loadingAreaGrey = document.querySelector('#loading');
const loadingAreaGreen = document.querySelector('#loading-screen');
const loadingText = document.querySelector('#loading p');
```

```
window.addEventListener('load', () => {
  // ローディング中（グレースクリーン）
  loadingAreaGrey.animate(
    {
      opacity: [1, 0],
      visibility: 'hidden',
    },
    {
      duration: 2000,
      delay: 1200,
      easing: 'ease',
      fill: 'forwards',
    }
  );

  // ローディング中（薄緑スクリーン）
  loadingAreaGreen.animate(
    {
      translate: ['0 100vh', '0 0', '0 -100vh']
    },
    {
      duration: 2000,
      delay: 800,
      easing: 'ease',
      fill: 'forwards',
    }
  );

  // ローディング中テキスト
  loadingText.animate(
    [
      {
        opacity: 1,
        offset: .8   //80%
      },
      {
        opacity: 0,
        offset: 1   //100%
      },
    ],
    {
      duration: 1200,
      easing: 'ease',
      fill: 'forwards',
    }
  );
});
```

```css
#loading {
    background-color: var(--light-grey);
    position: fixed;
    inset: 0;
    z-index: 9999;
    display: grid;
    place-items: center;
}
#loading-screen {
    background-color: var(--light-green);
    position: fixed;
    inset: 0;
    z-index: 9998;
    translate: 0 100vh;
}
#loading p {
    font-size: 2rem;
    font-family: var(--oswald-font);
}
```

7-3

CHAPTER

ローディングから画面遷移

画面遷移のスクリーンを作ろう

このWebページのローディング画面では、「Loading...」というテキストの他に、
「グレーのスクリーン」、「薄緑のスクリーン」の3つの要素を動かしています。
まずはグレーと薄緑のスクリーンから作っていきます。

▍ ローディング画面を追加する

<body>タグ内の一番上にローディング画面用の<div>タグを追加します。ここでは「loading」
というIDを付与しました。

📄 index.html

```
<!DOCTYPE html>
<html lang="ja">
<head>
    （・・・省略・・・）
</head>
<body>
    <!-- ローディング画面 -->
    <div id="loading"></div>              <div>タグで「loading」というIDを付与

    <section class="hero">
        <h1 class="title">WCB Fashion<br>Collection</h1>
    </section>

    （・・・省略・・・）
</body>
</html>
```

CSSでは画面幅いっぱいに薄いグレーのスクリーンが広がるように幅や高さ、背景色、位置
の指定などをしています。

📄 css/style.css

```
@charset 'UTF-8';

（・・・省略・・・）

/*
LAYOUT
```

```
======================================= */
.wrapper {
    max-width: 38rem;
    margin: auto;
    padding: 0 1rem;
}

/*
LOADING
======================================= */
#loading {
    background-color: var(--light-grey);
    position: fixed;
    inset: 0;
    z-index: 9999;
    display: grid;
    place-items: center;
}

(・・・省略・・・)
```

CSSで薄いグレーのスクリーンの指定

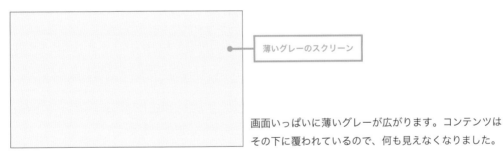

薄いグレーのスクリーン

画面いっぱいに薄いグレーが広がります。コンテンツは
その下に覆われているので、何も見えなくなりました。

■ グレーのスクリーンを徐々に透明にする

　JavaScriptのイベントでページが読み込まれたらグレーのスクリーンを透明にする指定を加
えましょう。P.094「4-2　ローディング中の画面を作ろう」を参考に「画面のローディングが
終わったら」というイベントを用意します。

[JS] js/script.js

```
/*
ローディングから画面遷移
======================================= */
window.addEventListener('load', () => {
  // ローディングが終わったときの処理
});
```

今回徐々に透明にして非表示にしていきたいのは「loading」というIDのついた`<div>`タグです。まずはこの要素を「loadingAreaGrey」という定数にしておきましょう。

続いて、イベントの中には「animate()」を使ってアニメーションの指定をします。このカッコの中には「動かす内容」と「動きの詳細」を「,（カンマ）」で区切って指定します。

📄 js/script.js

```js
/*
ローディングから画面遷移
============================================== */
const loadingAreaGrey = document.querySelector('#loading');     ← 定数の宣言

window.addEventListener('load', () => {                          ← アニメーションの指定
  // ローディング中（グレースクリーン）
  loadingAreaGrey.animate(動かす内容, 動きの詳細);               ← カンマで区切る
});
```

P.210「6-5　見出しを下から浮き上がらせよう　アニメーションの基本の書き方」を参考に動きの内容を記述します。また、P.216「6-7　見出しを下から浮き上がらせよう　動きの詳細を加えよう」を参考に動きの詳細をオブジェクトの形で記述します。

動きの内容では、「opacity」でグレーのスクリーンの透明度を1から0にして不透明にする他、「visibility」を「hidden」にすることで、アニメーション終了時に要素を非表示にしてクリックできない状態にします。

動きの詳細では1.2秒（1200ミリ秒）後にアニメーションを開始しています。これはこの後指定する薄緑のスクリーンのアニメーションが終わってから透明度を変えていけるような設定です。

なお、今回はページ内で動かす要素が多く、動かす内容や動きの詳細を1つずつ関数にまとめていると、どれがどの関数かわからなくなりそうなので直接オブジェクト形式で指定します。

📄 js/script.js

```js
/*
ローディングから画面遷移
============================================== */
const loadingAreaGrey = document.querySelector('#loading');

window.addEventListener('load', () => {
  // ローディング中（グレースクリーン）
  loadingAreaGrey.animate(
    {
      opacity: [1, 0],                                          ← 動きの内容の指定
      visibility: 'hidden',
    },
```

```
          {
            duration: 2000,
            delay: 1200,                                    ────── 動きの詳細の指定
            easing: 'ease',
            fill: 'forwards',
          }
        );
      });
```

ページを読み込んだらグレーのスクリーンが徐々に消え、コンテンツ内容が表示されるようになりました。

■ 薄緑のスクリーンを移動させる

　続いて、グレーのスクリーンに重なる形で、薄い緑色のスクリーンを表示してみましょう。
HTMLでは「<div id="loading">」の中に「loading-screen」というIDのついた<div>タグを追
加します。

📄 index.html

```
<!DOCTYPE html>
<html lang="ja">
<head>
    (・・・省略・・・)
</head>
<body>
    <!-- ローディング画面 -->
    <div id="loading">
        <div id="loading-screen"></div>                 ────── 追加した
    </div>

    <section class="hero">
        <h1 class="title">WCB Fashion<br>Collection</h1>
    </section>

    (・・・省略・・・)
</body>
</html>
```

グレーのスクリーンと同じ要領で、サイズや背景色などを指定します。この部分のポイントは「translate」プロパティで縦方向に「100vh」を指定することで、画面の外の見えない下側部分にこの「#loading-screen」を設置しておくことです。そしてJavaScriptでこの値を変化させ、薄緑のスクリーンを移動させます。

 css/style.css

```css
/*
LOADING
=============================================== */
#loading {
    width: 100vw;
    height: 100vh;
    background-color: var(--light-grey);
    position: fixed;
    z-index: 9999;
    display: grid;
    place-items: center;
}
#loading-screen {
    background-color: var(--light-green);
    position: fixed;
    inset: 0;
    z-index: 9998;
    translate: 0 100vh;
}

(・・・省略・・・)
```

薄緑のスクリーンの指定

縦方向に「100vh」と指定

現状、見えてはいませんが、上図の点線の範囲に薄緑のスクリーンがあります。

　あとはJavaScriptでこの部分を定数「loading AreaGreen」に入れ、「animate()」で動きを加えます。

　translateプロパティの値を最初の「0 100vh(横方向は基準値のまま、縦方向は画面外の下側に配置)」から、「0 0(横も縦も基準値、つまり画面いっぱいに広がっている状態)」、そして「0 -100vh(横は同じ位置、縦は画面外の上側)」へと移動する指定をします。

js/script.js

```
/*
ローディングから画面遷移
=============================================== */
const loadingAreaGrey = document.querySelector('#loading');
const loadingAreaGreen = document.querySelector('#loading-screen');

window.addEventListener('load', () => {
  // ローディング中（グレースクリーン）
  loadingAreaGrey.animate(
    {
      opacity: [1, 0],
      visibility: 'hidden',
    },
    {
      duration: 2000,
      delay: 1200,
      easing: 'ease',
      fill: 'forwards',
    }
  );

  // ローディング中（薄緑スクリーン）
  loadingAreaGreen.animate(
    {
      translate: ['0 100vh', '0 0', '0 -100vh']
    },
    {
      duration: 2000,
      delay: 800,
      easing: 'ease',
      fill: 'forwards',
    }
  );
});
```

定数 loadingAreaGreen に薄緑の指定を入れた

上記で指定した定数

横は同じ位置、縦は画面外の上側

横方向は基準値のまま、縦方向は画面外の下側に配置

横も縦も基準値、つまり画面いっぱいに広がっている状態

animate() で動きを加える

これで画面下から現れて、上に移動していく表現ができました！

ローディングから画面遷移

7-4
CHAPTER

アニメーションのタイミングを調整しよう

Web Animations APIでは「offset」の指定をしてアニメーションのタイミングを指定できます。テキストが消えていくタイミングをこの「offset」を使って調整しましょう。

■ テキストを透明にする

ローディング画面に「Loading...」と表示させましょう。ID「loading」のdivの中に<p>タグで記述します。

📄 index.html

```html
<!DOCTYPE html>
<html lang="ja">
<head>
    （・・・省略・・・）
</head>
<body>
    <!-- ローディング画面 -->
    <div id="loading">
        <p>Loading...</p>
        <div id="loading-screen"></div>
    </div>

    <section class="hero">
        <h1 class="title">WCB Fashion<br>Collection</h1>
    </section>

    （・・・省略・・・）
</body>
</html>
```

追加した

CSSでは文字サイズとフォントのみ指定しました。

📄 css/style.css

```css
/*
LOADING
=========================================== */
#loading {
    background-color: var(--light-grey);
```

```
    position: fixed;
    inset: 0;
    z-index: 9999;
    display: grid;
    place-items: center;
}
#loading-screen {
    background-color: var(--light-green);
    position: fixed;
    inset: 0;
    z-index: 9998;
    translate: 0 100vh;
}
#loading p {
    font-size: 2rem;                          ┐
    font-family: var(--oswald-font);          ├──── 追加した
}                                             ┘

(・・・省略・・・)
```

画面中央にテキストが表示されました。親要素であるID「loading」のdivが消えるとともに、このテキストも消えていきます。
しかし、一度消えたテキストが再度表示されたりと、少し挙動がおかしいので、JavaScriptも調整していきましょう。

これまでと同じように、まずは\<p\>タグの部分を定数「loadingText」として定義します。そして、1.2（1200ミリ秒）秒かけて「opacity」を0に変化させる透明度の記述を加えます。

📄 js/script.js

```
/*
ローディングから画面遷移
============================================ */
const loadingAreaGrey = document.querySelector('#loading');
const loadingAreaGreen = document.querySelector('#loading-screen');
const loadingText = document.querySelector('#loading p');     ┐──── 定義した

window.addEventListener('load', () => {
  // ローディング中（グレースクリーン）
  loadingAreaGrey.animate(
```

```
    {
      opacity: [1, 0],
      visibility: 'hidden',
    },
    {
      duration: 2000,
      delay: 1200,
      easing: 'ease',
      fill: 'forwards',
    }
  );

  // ローディング中（薄緑スクリーン）
  loadingAreaGreen.animate(
    {
      translate: ['0 100vh', '0 0', '0 -100vh']
    },
    {
      duration: 2000,
      delay: 800,
      easing: 'ease',
      fill: 'forwards',
    }
  );

  // ローディング中テキスト
  loadingText.animate(
    {
      opacity: [1, 0],
    },
    {
      duration: 1200,
      easing: 'ease',
      fill: 'forwards',
    }
  );
});
```

1.2秒
(1200ミリ秒)

追加した

これで最初にテキストが表示され、スッと消えていきます。

　しかし、今のままだとテキストが表示された瞬間に透明になっていくアニメーションも開始されるため、ユーザーがテキストを読まないうちに消えていた…ということもあります。

offsetプロパティでタイミングを調整する

タイミングを調整するため、offsetプロパティを追加します。

デフォルトでは指定したアニメーションは等間隔のタイミングで実行されますが、offsetプロパティを指定すると、任意のタイミングで実行できるようになります。値は「0.0」から「1.0」までの数値が指定でき、「0.0」が実行開始時、「1.0」が終了時を表します。

デフォルトのタイミング

アニメーション開始とともに同じ間隔でテキストが薄くなっていきます。

offsetを指定のタイミング

80%のタイミングで透明に変化するアニメーションを加えてみます。0〜80%までは変化せず、80%を過ぎたところから徐々にテキストが透明になります。

Web Animations APIで動かす内容を指定する方法はオブジェクト形式と配列形式の2通りあり、今回はP.214「6-6　見出しを下から浮き上がらせよう 複数のアニメーションを加えよう」でも紹介した配列として記述する方法で書き換えましょう。この方がタイミングごとの動きの内容が把握しやすくなります。

📄 js/script.js

```
/*
ローディングから画面遷移
============================================= */
(・・・省略・・・)

  // ローディング中テキスト
  loadingText.animate(
    [
      {
        opacity: 1,                          配列で動かす内容を指定
      },
      {
        opacity: 0,
      },
    ],
```

```
      {
        duration: 1200,
        easing: 'ease',
        fill: 'forwards',
      }
    );
  });
```

そして各波カッコの中に「offset」キーを追加します。80%のタイミングまではテキストは不透明のままで、そこから徐々に透明に変化させる内容です。

JS js/script.js

```
/*
ローディングから画面遷移
==============================================  */
(・・・省略・・・)

  // ローディング中テキスト
  loadingText.animate(
    [
      {
        opacity: 1,
        offset: .8   //80%
      },
      {
        opacity: 0,
        offset: 1   //100%
      },
    ],
    {
      duration: 1200,
      easing: 'ease',
      fill: 'forwards',
    }
  );
});
```

追加した

POINT

数値が小数の場合は、一の位の「0」を省略して「.8」とも記述できます。

今回はシンプルな内容でしたが、より細かく指定をして、複雑なアニメーションにも対応できます。このような指定方法も覚えておくといいでしょう。

COLUMN

—

ローディング画面を実装できるライブラリー

　この章でのローディング画面では「Loading...」というテキストが表示されるだけでしたが、どれくらいローディングが進んでいるかのバーや%を表示してもいいでしょう。ここでは簡単に実装できるライブラリーを紹介します。

ProgressBar.js

読み込まれた割合をラインや円に沿って表示できます。数値を表示したり、SVGを使って形を変えて見せることも可能です。

https://kimmobrunfeldt.github.io/progressbar.js/

LoadingBar.js

円やラインをベースに、SVGでのカスタムシェイプなどに読み込んだ割合を表示できます。また、動くグラデーションや泡、雲などと組み合わせて見せられます。

https://loading.io/progress/

ProgressJs

画面全体を覆うように読み込んだ割合を表示したり、指定した要素の上にバーを表示できます。テキストエリアと組み合わせて、入力した文字数をバーで表示することもできます。

https://usablica.github.io/progress.js/

COLUMN

—

読み込み時のアニメーション①
ぼかした画面を徐々にくっきり表示する

▶ サンプルデータ
chapter7/col-loading-demo1

　CSSとWeb Animations APIの組み合わせ次第では、様々なアニメーションを加えられます。画面遷移をしたときの動きのアイデアを紹介します。CSSの「backdrop-filter」を使えば、背面にくる要素をぼかして表示できます。ここではコンテンツを少しぼかした状態で、徐々にくっきりと表示させるアニメーションにしてみました。背景色の透明度は「opacity」を使うと「backdrop-filter」がうまく効かなくなるため、背景色に「rgba」を使って透明から不透明に変化させています。

HTML　index.html

```
（・・・省略・・・）
<body>
    <div id="loading">
        <p>Loading...</p>
    </div>

    <div class="container">
        <h1>JavaScriptはプログラミング言語のひとつ</h1>
        （・・・省略・・・）
```

CSS　css/style.css

```
#loading {
    background: rgba(238, 221, 136, 1);
    backdrop-filter: blur(10px);
    position: fixed;
    inset: 0;
    display: grid;
    place-items: center;
}
```

```
JS  js/script.js

const loadingArea = document.querySelector('#loading');
const loadingText = document.querySelector('#loading p');

window.addEventListener('load', () => {
  // ローディング中（ぼかし画面）
  loadingArea.animate(
    {
      backdropFilter: ['blur(10px)', 'blur(0)'],
      background: ['rgba(238, 221, 136, 1)', 'rgba(238, 221, 136, 0)'],
      visibility: 'hidden',
    },
    {
      duration: 2000,
      delay: 1200,
      easing: 'ease',
      fill: 'forwards',
    }
  );

  // ローディング中テキスト
  loadingText.animate(
    [
      {
        opacity: 1,
        offset: .8   //80%
      },
      {
        opacity: 0,
        offset: 1   //100%
      },
    ],
    {
      duration: 1200,
      easing: 'ease',
      fill: 'forwards',
    }
  );
});
```

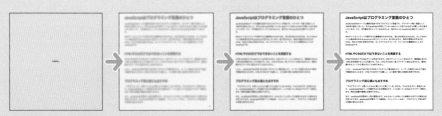

背景色は徐々に透明になり、ぼかしがかかった内容はくっきりと見えてきます。

COLUMN

—

読み込み時のアニメーション②
画面中央から開く

▶ サンプルデータ
chapter7/col-loading-demo2

　２つの`<div>`タグを用意して、それぞれの幅を「50vw」にして画面の半分を覆うように配置します。アニメーションには「scaleX」で横方向に拡大表示していた`<div>`タグをもとの大きさに戻すことで、中央から扉が開いたような表現になります。JavaScriptでは動かす内容や動きの詳細は共通項目なので、定数を作って指定しています。

📄 index.html

```
<!DOCTYPE html>
<html lang="ja">
<head>
    （・・・省略・・・）
</head>
<body>
    <div id="loading-left"></div>
    <div id="loading-right"></div>

    <div class="container">
        <h1>JavaScriptはプログラミング言語のひとつ</h1>
        （・・・省略・・・）
    </div>
</body>
</html>
```

２つの`<div>`タグを用意

📄 css/style.css

```
#loading-left,
#loading-right {
    background: #ed8;
    position: fixed;
    width: 50vw;
    height: 100vh;
}
```

```css
#loading-left {
    left: 0;
    transform-origin: left top;
}
#loading-right {
    right: 0;
    transform-origin: right top;
}
```

📄 js/script.js

```javascript
const loadingAreaLeft = document.querySelector('#loading-left');
const loadingAreaRight = document.querySelector('#loading-right');
const keyframes = {
  transform: ['scaleX(1)', 'scaleX(0)'],
};
const options = {
  duration: 1000,
  easing: 'ease',
  fill: 'forwards',
};

window.addEventListener('load', () => {
  // ローディング中（左側）
  loadingAreaLeft.animate(keyframes, options);

  // ローディング中（左側）
  loadingAreaRight.animate(keyframes, options);
});
```

左側のdivは「transform-origin」で画面の左端を変形の原点に、右のdivは右端を変形の原点に。
「transform」で変形する際にそれぞれが画面両端に移動するように見えます。

7-5

CHAPTER

画像ギャラリー

画像を大きく打ち出す方法は多々ありますが、サムネイル画像にマウスカーソルをあわせるだけで表示できると便利です。アニメーションと組み合わせることで、ドラマチックな表現にもできます。

■ この部分の完成イメージ

サンプルデータ
chapter7/05-demo

　小さなサムネイル画像にカーソルをあわせると、左側の大きな画像が一瞬パッと消えたかと思うと、少しずつ選択した画像が表示されていくアニメーションです。複数のHTML要素を取得する際は「forEach」というループの書き方にも挑戦します。

サムネイルにカーソルをあわせる

パッと消えたかと思うと少しずつ画像が表示されていく

表示された

■ 完成コード

📄 index.html

```html
<section class="gallery">
    <div class="gallery-image">
        <img src="images/img1.jpg" alt="">
    </div>
    <div class="gallery-content wrapper">
        <h2 class="title">Lookbook</h2>
        <ul class="gallery-thumbnails">
            <li><img src="images/img1.jpg" alt=""></li>
            <li><img src="images/img2.jpg" alt=""></li>
            <li><img src="images/img3.jpg" alt=""></li>
            <li><img src="images/img4.jpg" alt=""></li>
            <li><img src="images/img5.jpg" alt=""></li>
            <li><img src="images/img6.jpg" alt=""></li>
            <li><img src="images/img7.jpg" alt=""></li>
            <li><img src="images/img8.jpg" alt=""></li>
            <li><img src="images/img9.jpg" alt=""></li>
```

```
          </ul>
      </div>
</section>
```

js/script.js

```
/*
画像ギャラリー
=============================================== */
const mainImage = document.querySelector('.gallery-image img');
const thumbImages = document.querySelectorAll('.gallery-thumbnails img');

thumbImages.forEach((thumbImage)=>{
  thumbImage.addEventListener('mouseover', (event) => {
      mainImage.src = event.target.src;
      mainImage.animate({opacity: [0, 1]}, 500);
  });
});
```

CSS css/style.css

```
/*
GALLERY
=============================================== */
.gallery {
    display: flex;
    flex-direction: column-reverse;
}
.gallery-image {
    width: min(100%, calc(38rem - 2rem));
    margin: auto;
    position: relative;
}
.gallery-image::after {
    display: block;
    content: '';
    width: calc(100% - 2rem);
    height: calc(100% - 2.5rem);
    z-index: 3;
    border: 3px solid var(--white);
    top: 1rem;
    left: 1rem;
    position: absolute;
}
.gallery-image img {
    aspect-ratio: 3/4;
    object-fit: cover;
```

```
    width: 100%;
}
.gallery-thumbnails {
    display: grid;
    gap: 1rem;
    grid-template-columns: repeat(5, 1fr);
    list-style: none;
    margin: 1rem 0;
}
.gallery-thumbnails img {
    aspect-ratio: 3/4;
    object-fit: cover;
    cursor: pointer;
}

/*
DESKTOP SIZE
============================================== */
@media(min-width: 800px){

/* GALLERY */
    .gallery {
        flex-direction: row;
    }
    .gallery-image {
        width: 50vw;
        margin: 0;
    }
    .gallery-image img {
        height: 100vh;
    }
    .gallery-content {
        width: 30vw;
    }
    .gallery-thumbnails {
        gap: 2vw;
        grid-template-columns: repeat(3, 1fr);
    }
    .gallery-thumbnails img:hover {
        box-shadow: 0 0 1rem rgba(0,0,0,.4);
        transition: .4s;
    }
}
```

7-6
CHAPTER

画像ギャラリー
カーソルをあわせたときのアニメーション

Webページ中段の画面右側にある複数の小さいサムネイル画像に手を加えていきます。カーソルをあわせると、左側の大きな画像がパッと光るようなアニメーションを作ってみましょう。

■ 複数のHTML要素を取得する

まずは大きい画像を定数「mainImage」に、複数の小さい画像を定数「thumbImages」に入れておきます。複数の画像には「querySelector」ではなく、「querySelectorAll」を使う点に注意しましょう。この複数の要素がうまく取得できているか、コンソールで確認してみます。

🗒 js/script.js

```
/*
画像ギャラリー
=============================================== */
const mainImage = document.querySelector('.gallery-image img');
const thumbImages = document.querySelectorAll('.gallery-thumbnails img');

console.log(thumbImages);
```

「querySelectorAll」を使う

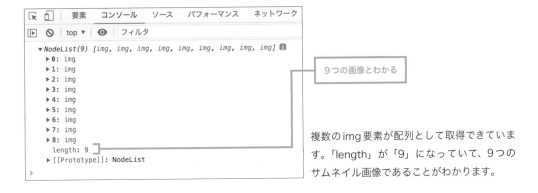

NodeList(9) [img, img, img, img, img, img, img, img, img]
 ▶0: img
 ▶1: img
 ▶2: img
 ▶3: img
 ▶4: img
 ▶5: img
 ▶6: img
 ▶7: img
 ▶8: img
   length: 9
 ▶ [[Prototype]]: NodeList
>

9つの画像とわかる

複数のimg要素が配列として取得できています。「length」が「9」になっていて、9つのサムネイル画像であることがわかります。

配列で取得されたHTML要素は、P.230「6-10 複数の画像を順番に表示しよう すべてのクラスを取得しよう」で解説した通り、「for」を使って個別に展開できます。

配列の番号であるインデックスは、変数「i」を使い、配列要素の数は「thumbImages.length」で指定します。要素を個別に取得できたか確認するため、「for」の中でコンソールを使って呼び出してみましょう。

js/script.js

```
/*
画像ギャラリー
=========================================== */
const mainImage = document.querySelector('.gallery-image img');
const thumbImages = document.querySelectorAll('.gallery-thumbnails img');

for(let i = 0; i < thumbImages.length; i++) {
  console.log(thumbImages[i]);
}
```

for文の中のコンソールで呼び出す

```
要素   コンソール   ソース   パフォーマンス
top ▼   ⊘   フィルタ
    <img src="images/img1.jpg" alt>
    <img src="images/img2.jpg" alt>
    <img src="images/img3.jpg" alt>
    <img src="images/img4.jpg" alt>
    <img src="images/img5.jpg" alt>
    <img src="images/img6.jpg" alt>
    <img src="images/img7.jpg" alt>
    <img src="images/img8.jpg" alt>
    <img src="images/img9.jpg" alt>
>
```

9つのimg要素が取得できているのが確認できます。

マウスカーソルが重なったときのイベントを指定する

それでは1つひとつの画像にマウスカーソルが重なったときのイベントを記述しましょう。1つひとつの画像は「thumbImages[i]」なので、それに続けて「addEventListener」でイベントを指定します。「マウスカーソルが重なった」というイベントは「mouseover」です。

ひとまずコンソールで、カーソルが重なったときにきちんと動作するか確認します。

js/script.js

```
/*
画像ギャラリー
=========================================== */
const mainImage = document.querySelector('.gallery-image img');
const thumbImages = document.querySelectorAll('.gallery-thumbnails img');

for(let i = 0; i < thumbImages.length; i++) {
  thumbImages[i].addEventListener('mouseover', () => {
      console.log(thumbImages[i]);
  });
}
```

addEventListener
でイベントを指定

カーソルをあわせる

小さいサムネイル画像にカーソルをあわせると、その
HTML要素がコンソールに表示されました。

■ 大きい画像にアニメーションを加える

あとは大きい画像「mainImage」に「animate()」でアニメーションを加えます。先ほどの
「console.log(thumbImages[i]);」の指定は消し、その部分に「0.5秒（500ミリ秒）かけて不
透明度（opacity）を0から1に変化させる」という指定をします。あらかじめ表示されていた
大きい画像が、一瞬不透明度0に、つまり透明になって消えたような状態となり、その後少しず
つ不透明に変化していきます。

js/ js/script.js

```
/*
画像ギャラリー
================================================= */
const mainImage = document.querySelector('.gallery-image img');
const thumbImages = document.querySelectorAll('.gallery-thumbnails img');

for(let i = 0; i < thumbImages.length; i++) {
  thumbImages[i].addEventListener('mouseover', () => {
    mainImage.animate({opacity: [0, 1]}, 500);          追加した
  });
}
```

カーソルをあわせる　　パッと光るように見える

一瞬、不透明度0になり光ったような印象が出ています。その後少しずつ不透明に変化していきます。

これで、小さな画像にカーソルをあわせると、左側の大きな画像がパッと光るようなアニメー
ションが加えられました。しかし、まだ画像を変化させる指定はしていないため、どのサムネイ
ル画像にカーソルをあわせても左側には同じ画像が表示されたままです。次節から、画像を変更
する書き方を見ていきましょう。

7-7
CHAPTER

画像ギャラリー
カーソルをあわせたときに大きく表示

サムネイル画像を大きな画像として表示するには、まずサムネイル画像のsrc属性の値を取得し、次にその値を大きな画像のsrc属性に反映させる、という2ステップが必要です。順を追って実装しましょう。

▌ イベントの情報を取得する

　P.247「6-15　スクロールとアニメーションを組み合わせよう 交差状態の情報を見てみよう」を振り返ってみましょう。そこでは「Intersection Observer」を使って監視が始まり、用意しておいた関数が呼び出されるときに、引数として交差状態に関する情報が含まれるオブジェクトが自動的に渡されていました。イベントの場合でも同じような機能が備わっています。

　addEventListener()メソッドを使う場合、引数として発生したイベントに関する情報が含まれるオブジェクトが自動的に渡されます。これは**イベントオブジェクト**と呼ばれていて、慣習的に「event」や「e」という名前がよく使われています。なお、どんな名前をつけても問題ありません。ここでは「event」として設定してみましょう。コンソールでどんな情報が渡されているのか確認します。

📄 js/script.js

```
/*
画像ギャラリー
============================================== */
const mainImage = document.querySelector('.gallery-image img');
const thumbImages = document.querySelectorAll('.gallery-thumbnails img');

for(let i = 0; i < thumbImages.length; i++) {
  thumbImages[i].addEventListener('mouseover', (event) => {
      console.log(event);                              ┄┄ 「event」と設定
      mainImage.animate({opacity: [0, 1]}, 500);
  });                                                  ┄┄ コンソールで確認
}
```

```
▶ 要素  コンソール  ソース  パフォーマンス  ネットワーク  メモリ  アプリケーション
▶ ⃠ top ▼ ⊙  フィルタ
▶ MouseEvent {isTrusted: true, screenX: 1214, screenY: 650, clientX: 1034, clientY: 485, …}
>
```

MouseEventが出力された

小さなサムネイル画像にカーソルをあわせると、コンソールに「MouseEvent」というオブジェクトが出力されました。

左側の三角形をクリックすると、発生したイベントのタイプや位置など、より詳細な情報が表示されます。その中で、今回利用するのが、イベントを発生させたHTML要素である「target」です。

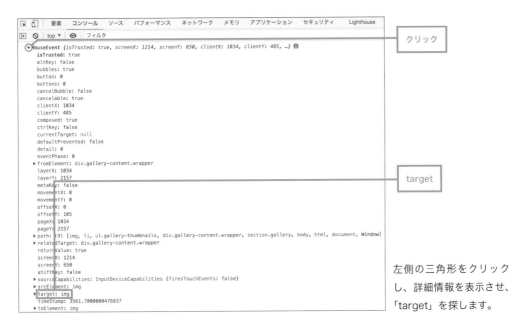

クリック

target

左側の三角形をクリックし、詳細情報を表示させ、「target」を探します。

　どのように取得されるのか、「event」にドットでつなげて「event.target」を確認します。

js/script.js

```javascript
/*
画像ギャラリー
================================================ */
const mainImage = document.querySelector('.gallery-image img');
const thumbImages = document.querySelectorAll('.gallery-thumbnails img');

for(let i = 0; i < thumbImages.length; i++) {
  thumbImages[i].addEventListener('mouseover', (event) => {
      console.log(event.target);
      mainImage.animate({opacity: [0, 1]}, 500);
  });
}
```

コンソールでevent、targetを確認

カーソルをあわせた画像の要素が取得できました。

　さらに、取得した要素のsrc属性部分にアクセスするには、ドットで続けて「event.target.src」としてみましょう。

JS js/script.js

```
/*
画像ギャラリー
============================================= */
const mainImage = document.querySelector('.gallery-image img');
const thumbImages = document.querySelectorAll('.gallery-thumbnails img');

for(let i = 0; i < thumbImages.length; i++) {
  thumbImages[i].addEventListener('mouseover', (event) => {
      console.log(event.target.src);
      mainImage.animate({opacity: [0, 1]}, 500);
  });
}
```

コンソールでさらに
src属性にアクセス

コンソールに、カーソルをあわせたサムネイル画像のsrc属性の値、画像のファイルパスが出力されました！

src属性の値、画像のファイルパス

HTML要素の属性を変更する

あとは取得したサムネイル画像のファイルパスを大きな画像のsrc属性に設定してあげれば完成です。P.084「3-10　ページの背景色を変えてみよう」ではHTML要素のstyle属性を変更するときに、ドットでつなげて「HTML要素.style」という形で記述しました。今回は大きい画像である定数「mainImage」のsrc属性を操作したいので、「mainImage.src」と指定すればOKです。そこへ先ほど取得したサムネイル画像のファイルパスを代入します。

📄 js/script.js

```
/*
画像ギャラリー
============================================== */
const mainImage = document.querySelector('.gallery-image img');
const thumbImages = document.querySelectorAll('.gallery-thumbnails img');

for(let i = 0; i < thumbImages.length; i++) {
  thumbImages[i].addEventListener('mouseover', (event) => {
    mainImage.src = event.target.src;          「mainImage」の
    mainImage.animate({opacity: [0, 1]}, 500);  src属性を操作
  });
}
```

カーソルをあわせる

これでカーソルをあわせたサムネイル画像のsrc属性の値を取得し、それを大きい画像のsrc属性の値として設定することができました。

画像ギャラリー

7-8
CHAPTER

複数要素をforEachで書いてみよう

さて、ここまででギャラリー部分はうまく動作して完成しましたが、配列に格納されたデータは他の書き方でも取得できます。ここでは複数要素の指定をforEachで書く方法を紹介しておきます。

配列をforEachで取得する

「querySelectorAll()」で取得された複数のHTML要素は、配列として扱われるため、for文を使って個別に取り出して使用していました。配列をループさせて中身を取得する方法は他にもあります。ここではforEach()メソッドを使って書き換えてみましょう。

forEach()メソッドはforとは違い、繰り返し条件や各繰り返し後の処理などを指定する必要がありません。そのままループできるのが特徴で配列処理を効率よく、よりすっきりと書けるようになります。

記述方法は配列名にドットでつなげて「配列.forEach();」と書き始めます。丸カッコの中に関数を記述して、この関数の引数として、配列の要素を指定した名前で1つずつ受け取って繰り返し処理を実行します。

指定する関数は、後述するように関数名をつけて呼び出すことも可能ですが、多くの場合、無名関数※で利用することが多いでしょう。アロー関数※を使った例だと以下のような形になります。

記述例

```
配列名.forEach((各配列の要素) => {
  実行する内容
});
```

この説明だけだと少しわかりづらいかもしれませんので実際に記述例を見てみましょう。

定数「animals」に、4つの動物名の入った配列を用意しました。関数の引数には「animal」という名前を用意しています。この「animal」の中に「猫」「牛」「トラ」「うさぎ」の順にデータが格納され、要素がなくなるまで、波カッコの中の処理が1つずつ実行されます。

※無名関数…P.077「3-9 関数で選んだ色を取得しよう」参照。
※アロー関数…P.077「3-9 関数で選んだ色を取得しよう」参照。

POINT

引数の名前は好きなものが付けられますが、慣習として配列には複数形、引数には単数形を使うことが多いです。今回の例は配列には動物を意味する英単語の複数形「animals」、引数にはその単数形である「animal」としています。

JS 記述例

```javascript
const animals = ['猫', '牛', 'トラ', 'うさぎ'];

animals.forEach((animal) => {
  console.log(animal);
});
```

データが格納

コンソールで見てみると、1つずつ動物名が出力されています。

猫
牛
トラ
うさぎ

1つずつ出力されているのがわかる

配列は仕切りのある箱であると例に出しましたが、その仕切りの中のデータを1つずつ別の箱に入れ直して処理しているイメージです。

 1回目の処理

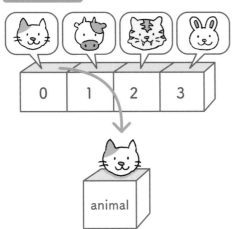

2回目の処理

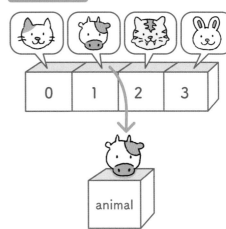

　無名関数ではなく、関数名を付ける場合は、forEach()メソッドのパラメーターに関数名を記述すればOKです。

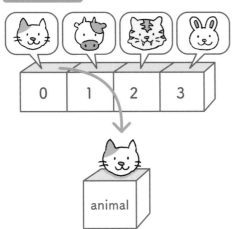

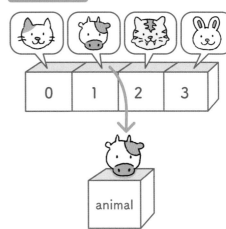

JS 記述例

```
const animals = ['猫', '牛', 'トラ', 'うさぎ'];

const showAnimals = (animal) => {
  console.log(animal);
};                                         「showAnimals」という関数を作成

animals.forEach(showAnimals);              カッコの中に作成した関数名を記述
```

for文からforEach文に書き換え

　それでは作成していたFashionサイトのfor文で記述していた部分を、このforEach文で書き換えてみましょう。これまで書いていたfor文の記述はコメントアウトし、配列名である「thumbImages」にforEach()メソッドを加えます。アロー関数の引数には単数形である「thumbImage」を用意しコンソールで表示してみます。

JS js/script.js

```
/*
画像ギャラリー
============================================= */
const mainImage = document.querySelector('.gallery-image img');
const thumbImages = document.querySelectorAll('.gallery-thumbnails img');

// for(let i = 0; i < thumbImages.length; i++) {
//     thumbImages[i].addEventListener('mouseover', (event) => {
//         mainImage.src = event.target.src;
//         mainImage.animate({opacity: [0, 1]}, 500);   for文はコメントアウト
//     });
// }
thumbImages.forEach((thumbImage)=>{
  console.log(thumbImage);                             アロー関数を追加
});
```

引数には単数形のthumbImageを用意

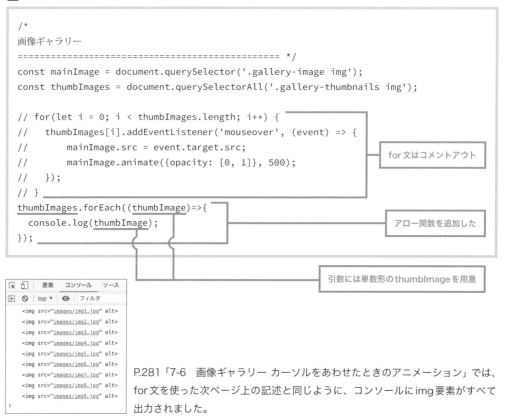

P.281「7-6　画像ギャラリー　カーソルをあわせたときのアニメーション」では、for文を使った次ページ上の記述と同じように、コンソールにimg要素がすべて出力されました。

```
for(let i = 0; i < thumbImages.length; i++) {
  console.log(thumbImages[i]);
}
```

つまりfor文で書いた「thumbImages[i]」と「forEach()」で書いた「thumbImage」で同じものが取得できているわけです。

あとはイベントやアニメーションなどの記述を、for文の波カッコ内のブロックと同じように記述します。

JS js/script.js

```
/*
画像ギャラリー
============================================== */
const mainImage = document.querySelector('.gallery-image img');
const thumbImages = document.querySelectorAll('.gallery-thumbnails img');

// for(let i = 0; i < thumbImages.length; i++) {
//   thumbImages[i].addEventListener('mouseover', (event) => {
//       mainImage.src = event.target.src;
//       mainImage.animate({opacity: [0, 1]}, 500);
//   });
// }
thumbImages.forEach((thumbImage)=>{
  thumbImage.addEventListener('mouseover', (event) => {
    mainImage.src = event.target.src;
    mainImage.animate({opacity: [0, 1]}, 500);
  });
});
```

for文の波カッコ内のブロックと同じように記述

動作はこれまで指定したようにサムネイル画像にカーソルをあわせると大きい画像に表示されます。

forEach()は最初は少し書き方がとっつきにくいかもしれませんが、for文と違い要素の数などを気にせず直感的に処理を書けるようになるメリットがあります。覚えておくといいでしょう。

COLUMN

—

カーソルをあわせたときの属性値の活用

　画像ギャラリーでは、小さな画像にカーソルをあわせるとsrc属性の値を取得し大きな画像のsrc属性に反映させて表示させました。他にも属性値を変えた表示方法を紹介します。

alt属性のテキストを表示する

▶ サンプルデータ
chapter7/col-hover-demo1

　<img>タグでは画像の説明文となるalt属性が必須となっています。画像にカーソルをあわせたとき、このalt属性のテキストを表示させます。

　仕組みはシンプルで、イベントオブジェクトとして取得したalt属性を、P.060「3-4 テキストを変更しよう」で出てきた「textContent」を使って代入します。説明文を大きく打ち出したいときなどに使えます。

HTML index.html

```
<!DOCTYPE html>
<html lang="ja">
<head>
    （・・・省略・・・）
</head>
<body>
    <p class="text">トライアスロン スタンダードディスタンス</p>
    <div class="gallery">
        <img src="images/swim.jpg" alt="スイム 1.5km">
        <img src="images/bike.jpg" alt="バイク 40km">
        <img src="images/run.jpg" alt="ラン 10km">
    </div>
</body>
</html>
```

JS js/script.js

```
const images = document.querySelectorAll('.gallery img');
const text = document.querySelector('.text');
```

```
images.forEach((image)=>{
  image.addEventListener('mouseover', (event) => {
    text.textContent = event.target.alt;
    event.target.animate({opacity: [0, 1]}, 500);
  });
});
```

alt属性をtextContentを使って代入

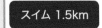

元の状態

スイム 1.5km

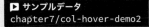

各画像にカーソルをあわせると、定数「text」の部分にalt属性のテキストが表示されます。

ページの背景画像として表示する

▶ サンプルデータ
chapter7/col-hover-demo2

　こちらは画像のsrc属性で指定した画像のファイルパスを別の箇所で利用してみます。P.084「3-10　ページの背景色を変えてみよう」のstyle属性を操作する方法で、<body>タグの背景画像を変更するように指定できます。例えば画像素材の配布サイトや、背景画像の設定ができるWebサービスなどには大変有用です。

js/script.js

```
const images = document.querySelectorAll('.gallery img');
const body = document.body;

images.forEach((image)=>{
  image.addEventListener('mouseover', (event) => {
    body.style.backgroundImage = `url(${event.target.src})`;
    event.target.animate({opacity: [0, 1]}, 500);
  });
});
```

<body>タグの背景画像を変更する指定

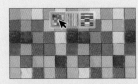

画像にカーソルをあわせると、Webページ全体の背景画像として大きく表示されました。

7-9
CHAPTER

スライドメニュー

画面を広く使いたいときやモバイルデバイスなどで表示させる項目を省略したいときなどに活躍するのがスライドメニューです。これもこれまでに学習したイベントやアニメーションを組み合わせることで実装できます。

▉ この部分の完成イメージ

画面右上のアイコンをクリックすると、右端からメニューパネルが表示されます。このとき、メニューパネルの中の各メニューリストは上から順に右側からスッと表示されていきます。

▉ 完成コード

 index.html

```
<nav>
    <button id="menu-open" class="btn-menu">
        <svg height="24" viewBox="0 0 24 24" width="24" xmlns="http://www.w3.org/2000/svg">
            <title>メニューを開く</title>
            <path clip-rule="evenodd" d="m4.25 8c0-.41421.33579-.75.75-.75h14c.4142
0 .75.33579.75.75s-.3358.75-.75.75h-14c-.41421 0-.75-.33579-.75-.75zm0 4c0-
.4142.33579-.75.75-.75h14c.4142 0 .75.3358.75.75s-.3358.75-.75.75h-14c-.41421
0-.75-.3358-.75-.75zm.75 3.25c-.41421 0-.75.3358-.75.75s.33579.75.75.75h14c.4142 0
.75-.3358.75-.75s-.3358-.75-.75-.75z" fill-rule="evenodd"/>
        </svg>
    </button>
    <div id="menu-panel">
        <button id="menu-close" class="btn-menu">
            <svg height="24" viewBox="0 0 24 24" width="24" xmlns="http://www.w3.org/2000/svg">
                <title>メニューを閉じる</title>
                <path clip-rule="evenodd" d="m7.53033 6.46967c-.29289-.29289-
.76777-.29289-1.06066 0s-.29289.76777 0 1.06066l4.46963 4.46967-4.46963 4.4697c-
.29289.2929-.29289.7677 0 1.0606s.76777.2929 1.06066 0l4.46967-4.4696 4.4697
4.4696c.2929.2929.7677.2929 1.0606 0s.2929-.7677 0-1.0606l-4.4696-4.4697 4.4696-
```

```
4.46967c.2929-.29289.2929-.76777 0-1.06066s-.7677-.29289-1.0606 0l-4.4697 4.46963z"
fill-rule="evenodd"/>
            </svg>
        </button>
        <ul class="menu-list">
            <li><a href="#">Online Shop</a></li>
            <li><a href="#">Twitter</a></li>
            <li><a href="#">Instagram</a></li>
            <li><a href="#">YouTube</a></li>
            <li><a href="mailto:hello@example.com">Contact</a></li>
        </ul>
    </div>
</nav>
```

📄 js/script.js

```
/*
スライドメニュー
============================================== */
const menuOpen = document.querySelector('#menu-open');
const menuClose = document.querySelector('#menu-close');
const menuPanel = document.querySelector('#menu-panel');
const menuItems = document.querySelectorAll('#menu-panel li');
const menuOptions = {
  duration: 1400,
  easing: 'ease',
  fill: 'forwards',
};

// メニューを開く
menuOpen.addEventListener('click', () => {
  menuPanel.animate({translate: ['100vw', 0]}, menuOptions);
  // リンクをひとつずつ順に表示
  menuItems.forEach((menuItem, index) => {
    menuItem.animate(
      {
        opacity: [0, 1],
        translate: ['2rem', 0],
      },
      {
        duration: 2400,
        delay: 300 * index,
        easing: 'ease',
        fill: 'forwards',
      }
    );
  });
});
```

```
// メニューを閉じる
menuClose.addEventListener('click', () => {
  menuPanel.animate({translate: [0, '100vw']}, menuOptions);
  menuItems.forEach((menuItem) => {
    menuItem.animate({opacity: [1, 0]}, menuOptions);
  });
});
```

📄 css/style.css

```
/*
SLIDE MENU
============================================== */
/* 開閉ボタン */
.btn-menu {
    position: fixed;
    right: 1rem;
    top: 1rem;
    z-index: 4;
    padding: .5rem 1rem;
    border: 1px solid var(--brown);
    border-radius: 50%;
    height: 4rem;
    width: 4rem;
    transition: .4s;
}
.btn-menu svg {
    fill: var(--brown);
    margin-top: .25rem;
    height: 2rem;
    width: 2rem;
}

/* 閉じるボタン */
#menu-close {
    border: 1px solid var(--light-green);
}
#menu-close svg {
    fill: var(--light-green);
}

/* スライドメニューパネル */
#menu-panel {
    position: fixed;
    top: 0;
    right: 0;
    z-index: 4;
    padding: 8rem 2rem 2rem;
```

```css
    width: max(32vw, 20rem);
    height: 100vh;
    background-color: var(--brown);
    box-shadow: 0 0 2rem var(--brown);
    font-family: var(--oswald-font);
    translate: 100vw;
}
.menu-list {
    list-style: none;
}
.menu-list li {
    margin: 1.5rem 0;
    opacity: 0;
}
.menu-list a {
    color: var(--light-green);
    text-decoration: none;
    font-size: 2rem;
}
```

7-10
CHAPTER

スライドメニュー
クリックしてメニューを開閉しよう

イベントとアニメーションを組み合わせた動きは画像ギャラリーで実装したときと同じ手順で書いていきます。まずは画面外にあるメニューパネルをボタンのクリックによって移動させていきましょう。

▨ ボタンとメニューパネルの装飾をする

HTMLにはbutton要素で開閉ボタンを設置します。開くボタンには「menu-open」、メニューパネルには「menu-panel」、メニューパネル内の閉じるボタンには「menu-close」というIDをそれぞれ割り振りました。

🔲 index.html

```
<!DOCTYPE html>
<html lang="ja">
<head>
    （・・・省略・・・）
</head>
<body>
    <!-- ローディング画面 -->
    <div id="loading">
        <p>Loading...</p>
        <div id="loading-screen"></div>
    </div>

    <!-- ナビゲーションメニュー -->
    <nav>
        <button id="menu-open" class="btn-menu">        ┤ 開くボタン │
            <svg height="24" viewBox="0 0 24 24" width="24" xmlns="http://www.w3.org/2000/svg">
                <title>メニューを開く</title>
                <path clip-rule="evenodd" d="m4.25  8c0-.41421.33579-.75.75-
.75h14c.4142 0 .75.33579.75.75s-.3358.75-.75.75h-14c-.41421 0-.75-.33579-.75-.75zm0
4c0-.4142.33579-.75.75-.75h14c.4142 0  .75.3358.75.75s-.3358.75-.75.75h-14c-.41421
0-.75-.3358-.75-.75zm.75 3.25c-.41421 0-.75.3358-.75.75s.33579.75.75.75h14c.4142 0
.75-.3358.75-.75s-.3358-.75-.75-.75z" fill-rule="evenodd"/>
            </svg>
        </button>
        <div id="menu-panel">        ┤ メニューパネル │   ┤ 閉じるボタン │
            <button id="menu-close" class="btn-menu">
                <svg height="24" viewBox="0 0 24 24" width="24" xmlns="http://www.w3.org/2000/svg">
                    <title>メニューを閉じる</title>
                    <path clip-rule="evenodd" d="m7.53033 6.46967c-.29289-.29289-
.76777-.29289-1.06066 0s-.29289.76777 0 1.06066l4.46963 4.46967-4.46963 4.4697c-
```

```
.29289.2929-.29289.7677 0 1.0606s.76777.2929 1.06066 0l4.46967-4.4696 4.4697
4.4696c.2929.2929.7677.2929 1.0606 0s.2929-.7677 0-1.0606l-4.4696-4.4697 4.4696-
4.46967c.2929-.29289.2929-.76777 0-1.06066s-.7677-.29289-1.0606 0l-4.4697 4.46963z"
fill-rule="evenodd"/>
                </svg>
            </button>
            <ul class="menu-list">
                <li><a href="#">Online Shop</a></li>
                <li><a href="#">Twitter</a></li>
                <li><a href="#">Instagram</a></li>
                <li><a href="#">YouTube</a></li>
                <li><a href="mailto:hello@example.com">Contact</a></li>
            </ul>
        </div>
    </nav>

    <section class="hero">
        <h1 class="title">WCB Fashion<br>Collection</h1>
    </section>

    (・・・省略・・・)
</body>
</html>
```

追加した

CSSでは「position: fixed;」でボタンやメニューパネルの位置を固定させる指定のほか、色や余白などの装飾を加えています。

📄 css/style.css

```
@charset 'UTF-8';

(・・・省略・・・)

#loading p {
    font-size: 2rem;
    font-family: var(--oswald-font);
}

/*
SLIDE MENU
============================================ */
/* 開閉ボタン */
.btn-menu {
    position: fixed;
    right: 1rem;
    top: 1rem;
    z-index: 4;
    padding: .5rem 1rem;
    border: 1px solid var(--brown);
    border-radius: 50%;
```

```
        height: 4rem;
        width: 4rem;
        transition: .4s;
    }
    .btn-menu svg {
        fill: var(--brown);
        margin-top: .25rem;
        height: 2rem;
        width: 2rem;
    }

    /* 閉じるボタン */
    #menu-close {
        border: 1px solid var(--light-green);
    }
    #menu-close svg {
        fill: var(--light-green);
    }

    /* スライドメニューパネル */
    #menu-panel {
        position: fixed;
        top: 0;
        right: 0;
        z-index: 4;
        padding: 8rem 2rem 2rem;
        width: max(32vw, 20rem);
        height: 100vh;
        background-color: var(--brown);
        box-shadow: 0 0 2rem var(--brown);
        font-family: var(--oswald-font);
    }
    .menu-list {
        list-style: none;
    }
    .menu-list li {
        margin: 1.5rem 0;
    }
    .menu-list a {
        color: var(--light-green);
        text-decoration: none;
        font-size: 2rem;
    }
```

追加した

```
    /*
    HERO
    ============================================ */
    .hero {
        height: 100vh;
        position: relative;
    }

    (・・・省略・・・)
```

メニューパネルが固定表示されている

するとこのように画面右側にメニューパネルが固定表示されます。これはメニューパネルが開いている状態になります。

「translate」を追加して、Webページを開いた段階では画面の外側に配置して見えないようにしておきます。

📄 css/style.css

```css
/* スライドメニューパネル */
#menu-panel {
    position: fixed;
    top: 0;
    right: 0;
    z-index: 4;
    padding: 8rem 2rem 2rem;
    width: max(32vw, 20rem);
    height: 100vh;
    background-color: var(--brown);
    box-shadow: 0 0 2rem var(--brown);
    font-family: var(--oswald-font);
    translate: 100vw;
}
```
追加した

100vw右に移動している

画面内　　画面外

メニューパネルが画面の100vw右側に配置されました。画面外にあるため、見えなくなっています。

ボタンをクリックしたときのイベントを作る

動作に必要なHTML要素、開閉ボタンおよびメニューパネルを定数として定義しておきます。

📄 js/script.js

```js
const menuOpen = document.querySelector('#menu-open');
const menuClose = document.querySelector('#menu-close');
const menuPanel = document.querySelector('#menu-panel');
```
定数として定義

次に、定義した開くメニューボタン「menuOpen」をクリックしたら動作するよう、addEventListener()メソッドでclickイベントを指定します。ひとまずきちんと動作するか、コンソールにテキストを表示してみましょう。

📄 js/script.js

```
const menuOpen = document.querySelector('#menu-open');
const menuClose = document.querySelector('#menu-close');
const menuPanel = document.querySelector('#menu-panel');

// メニューを開く
menuOpen.addEventListener('click', () => {
  console.log('メニューを開く');
});
```

clickイベントを追加した

コンソールで確認できた

ボタンをクリックすると、コンソールに「メニューを開く」と表示されました。

メニューパネルをスライドさせるアニメーションを作る

clickイベントが動作することがわかったので、「console.log('メニューを開く');」はコメントアウトしておきましょう。あとはここにメニューパネルの位置を画面外から画面右端に移動するようにアニメーションを加えるだけです。

メニューパネルの定数である「menuPanel」に対して「animate()」でアニメーションを指定します。動かす内容には「translate」を書いていきます。値はアニメーション開始時には画面外である「100vw」、アニメーション終了時は「0」にすることで、CSSで指定しておいた画面右端に移動します。

動きの詳細は、次に指定する閉じるボタンをクリックしたときの内容と共通なので、定数「menuOptions」を作ってまとめておきます。

📄 js/script.js

```
const menuOpen = document.querySelector('#menu-open');
const menuClose = document.querySelector('#menu-close');
const menuPanel = document.querySelector('#menu-panel');
const menuOptions = {
```

```
  duration: 1400,
  easing: 'ease',                                         ┌─────────────┐
  fill: 'forwards',                                       │ 追加した     │
};                                                        └─────────────┘

// メニューを開く                                          ┌────────────────────┐
menuOpen.addEventListener('click', () => {                │ コメントアウトした  │
  //console.log('メニューを開く');                          └────────────────────┘
  menuPanel.animate({translate: ['100vw', 0]}, menuOptions);   ┌─────────────┐
});                                                            │ 追加した     │
                                                               └─────────────┘
```

　同様にメニューを閉じるイベントも用意します。内容はメニューを開くときとほとんど同じですが、クリック対象となるHTML要素が定数「menuClose」になっている点、アニメーションの開始時・終了時の値が逆になっている点が異なります。

📄 js/script.js

```
const menuOpen = document.querySelector('#menu-open');
const menuClose = document.querySelector('#menu-close');
const menuPanel = document.querySelector('#menu-panel');
const menuOptions = {
  duration: 1400,
  easing: 'ease',
  fill: 'forwards',
};

// メニューを開く
menuOpen.addEventListener('click', () => {
  //console.log('メニューを開く');
  menuPanel.animate({translate: ['100vw', 0]}, menuOptions);
});

// メニューを閉じる                                              ┌─────────────┐
menuClose.addEventListener('click', () => {                     │ 追加した     │
  menuPanel.animate({translate: [0, '100vw']}, menuOptions);    └─────────────┘
});
```

これでメニューを開くボタンをクリックすると、画面右端からメニューパネルがスライドして現れ、閉じるボタンをクリックすると右端に消えていくようになりました！

7-11
CHAPTER

スライドメニュー
上から順に表示させよう

メニューがスライドで開閉し心地よく操作できるようになりましたが、さらにメニューパネルの中のテキストにも1つずつ遅延させていくというほんの少し動きを加えて、よりなめらかに表示させてみましょう。

▨ すべてのメニューリストを取得する

　まずは順に表示させたいメニューリスト、ID「menu-panel」の中のli要素を「querySelectorAll()」で取得し、定数「menuItems」として定義します。これらの複数のHTML要素は配列になっていましたね。P.288「7-8　画像ギャラリー 複数要素をforEachで書いてみよう」を参考に、「forEach()」を使って1つひとつ展開させます。

　配列「menuItems」の中の要素を、それぞれ「menuItem」に入れてコンソールで確認してみましょう。

📄 js/script.js

```javascript
const menuOpen = document.querySelector('#menu-open');
const menuClose = document.querySelector('#menu-close');
const menuPanel = document.querySelector('#menu-panel');
const menuItems = document.querySelectorAll('#menu-panel li');     ┤ 追加した
const menuOptions = {
  duration: 1400,
  easing: 'ease',
  fill: 'forwards',
};

// メニューを開く
menuOpen.addEventListener('click', () => {
  menuPanel.animate({translate: ['100vw', 0]}, menuOptions);

  // リンクをひとつずつ順に表示
  menuItems.forEach((menuItem) => {          追加した
    console.log(menuItem);
  });
});

// メニューを閉じる
menuClose.addEventListener('click', () => {
  menuPanel.animate({translate: [0, '100vw']}, menuOptions);
});
```

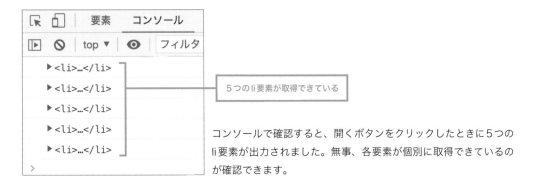

コンソールで確認すると、開くボタンをクリックしたときに5つの
li要素が出力されました。無事、各要素が個別に取得できているの
が確認できます。

アニメーションを加える

メニューリストはアニメーションで透明から不透明に変更したいので、CSSでli要素に
「opacity: 0;」を加えて、何も操作していない状態では透明にしておきます。

css csss/style.css

```css
.menu-list li {
    margin: 1.5rem 0;
    opacity: 0;
}
```

opacity: 0;を加えて何も操作
していない状態では透明に

確認のために記述していた「console.log(menuItem);」はコメントアウトし、「menuItem」
に「animate()」でアニメーションを指定します。動かす内容は透明から不透明にする「opacity:
[0, 1]」と、少し右側から移動させる「translate: ['2rem', 0]」としました。

js js/script.js

```js
const menuOpen = document.querySelector('#menu-open');
const menuClose = document.querySelector('#menu-close');
const menuPanel = document.querySelector('#menu-panel');
const menuItems = document.querySelectorAll('#menu-panel li');
const menuOptions = {
  duration: 1400,
  easing: 'ease',
  fill: 'forwards',
};

// メニューを開く
menuOpen.addEventListener('click', () => {
  menuPanel.animate({translate: ['100vw', 0]}, menuOptions);

  // リンクをひとつずつ順に表示
  menuItems.forEach((menuItem) => {
    //console.log(menuItem);
```

```
menuItem.animate(
  {
    opacity: [0, 1],                  ← 透明から不透明に
    translate: ['2rem', 0],
  },                                  ← 少し右側から移動させる
  {
    duration: 2400,                           ← 追加した
    easing: 'ease',
    fill: 'forwards',
  }
);
});
});

// メニューを閉じる
menuClose.addEventListener('click', () => {
  menuPanel.animate({translate: [0, '100vw']}, menuOptions);
});
```

ブラウザーで確認すると、メニューパネルがスライドするときに、メニューリストもほんのり透明から不透明に変わって、位置も微妙に右側から流れているのがわかります。ただ、少し変化がわかりづらいので、1つひとつの項目が表示されるタイミングを変えてみましょう。

インデックスを取得して遅延させる

P.154「5-3 配列で複数の画像のファイル名をまとめよう」で解説した通り、配列の要素にはインデックスと呼ばれる0から始まる番号が割り振られていました。forEach()メソッドを使って配列を展開する場合は、関数の引数を「，（カンマ）」で区切ることで、2つ目の引数にインデックスが代入されます。

JS 記述例

```
配列名.forEach(((各配列の要素，インデックス) => {
  実行する内容
});
```

リスト項目のインデックスが取得できているか確認します。ここでは「index」という名前を用意しましたが、他の名前をつけても動作します。コンソールで表示させてみます。

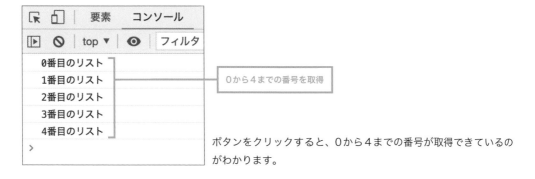

```js
const menuOpen = document.querySelector('#menu-open');
const menuClose = document.querySelector('#menu-close');
const menuPanel = document.querySelector('#menu-panel');
const menuItems = document.querySelectorAll('#menu-panel li');
const menuOptions = {
  duration: 1400,
  easing: 'ease',
  fill: 'forwards',
};

// メニューを開く
menuOpen.addEventListener('click', () => {
  menuPanel.animate({translate: ['100vw', 0]}, menuOptions);

  // リンクをひとつずつ順に表示
  menuItems.forEach((menuItem, index) => {
    console.log(`${index}番目のリスト`);
    menuItem.animate(
      {
        opacity: [0, 1],
        translate: ['2rem', 0],
      },
      {
        duration: 2400,
        easing: 'ease',
        fill: 'forwards',
      }
    );
  });
});

// メニューを閉じる
menuClose.addEventListener('click', () => {
  menuPanel.animate({translate: [0, '100vw']}, menuOptions);
});
```

「index」の名前を用意
コンソールで確認

| 要素 | コンソール |

| top ▼ | フィルタ |

0番目のリスト
1番目のリスト
2番目のリスト
3番目のリスト
4番目のリスト

0から4までの番号を取得

ボタンをクリックすると、0から4までの番号が取得できているのがわかります。

それではアニメーションの開始を遅延させる「delay」と、取得したインデックスを使って、P.234「6-11 複数の画像を順番に表示しよう 1つずつ遅延させよう」と同じ要領で各要素の表示を少しずつずらしてみましょう。

📄 js/script.js

```javascript
const menuOpen = document.querySelector('#menu-open');
const menuClose = document.querySelector('#menu-close');
const menuPanel = document.querySelector('#menu-panel');
const menuItems = document.querySelectorAll('#menu-panel li');
const menuOptions = {
  duration: 1400,
  easing: 'ease',
  fill: 'forwards',
};

// メニューを開く
menuOpen.addEventListener('click', () => {
  menuPanel.animate({translate: ['100vw', 0]}, menuOptions);

  // リンクをひとつずつ順に表示
  menuItems.forEach((menuItem, index) => {
    //console.log(`${index}番目のリスト`);
    menuItem.animate(
      {
        opacity: [0, 1],
        translate: ['2rem', 0],
      },
      {
        duration: 2400,
        delay: 300 * index,          ┤─────────────── 追加した
        easing: 'ease',
        fill: 'forwards',
      }
    );
  });
});

// メニューを閉じる
menuClose.addEventListener('click', () => {
  menuPanel.animate({translate: [0, '100vw']}, menuOptions);
});
```

上から順に表示　　　　　　　　1つずつ表示されていく　　　　　　　全て表示した

上の要素から順に、1つずつ表示されていくのがわかりますね！

閉じるときに透明に戻す

これでうまく動作したかに思えたのですが、一度開いたメニューを閉じ、2回目にメニューを開くと、なにやら挙動がおかしいところがあります。

2回目の表示、何やら挙動がおかしい

1回目の表示でメニューリストがすでに不透明になっているため、2回目の表示ではすでに表示されていたテキストがパッと消え、再びふわっと表示されるようなチラツキが見られます。

そこで、閉じるボタンをクリックしたときに、メニューリストを元の透明に戻す指定をしておきましょう。

📄 js/script.js

```js
const menuOpen = document.querySelector('#menu-open');
const menuClose = document.querySelector('#menu-close');
const menuPanel = document.querySelector('#menu-panel');
const menuItems = document.querySelectorAll('#menu-panel li');
const menuOptions = {
  duration: 1400,
  easing: 'ease',
  fill: 'forwards',
};

// メニューを開く
menuOpen.addEventListener('click', () => {
  menuPanel.animate({translate: ['100vw', 0]}, menuOptions);
```

```
    // リンクをひとつずつ順に表示
    menuItems.forEach((menuItem, index) => {
      //console.log(`${index}番目のリスト`);
      menuItem.animate(
        {
          opacity: [0, 1],
          translate: ['2rem', 0],
        },
        {
          duration: 2400,
          delay: 300 * index,
          easing: 'ease',
          fill: 'forwards',
        }
      );
    });
});

// メニューを閉じる
menuClose.addEventListener('click', () => {
  menuPanel.animate({translate: [0, '100vw']}, menuOptions);
  menuItems.forEach((menuItem) => {
    menuItem.animate({opacity: [1, 0]}, menuOptions);
  });
});
```

メニューリストを元の
透明に戻す指定

これで2回目以降でもちらつくことなく、スムーズにアニメーションが表示されます。

COLUMN

—

モーダルウィンドウの作り方

　ボタンをクリックしたら画面が少し暗くなって、パネルが画面上に表示される機能を**モーダルウィンドウ**と呼びます。作り方はこの章で作ったスライドメニューとあまり変わりません。ここで簡単に紹介します。

　この章で作ったスライドメニューは、Web Animations APIの動かす内容に、translateプロパティで位置を指定して画面右端からスルッと動いて表示されるものでした。モーダルウィンドウではふわっと見え隠れさせたいので、「opacity」で透明度を指定してフェードイン・アウトをさせています。画面が暗くなる部分には、背景色に半透明の黒を設定した空の<div>タグを用意して、画面いっぱいに広がるようにCSSで設定しています。

　JavaScriptではclickイベントでモーダルウィンドウを開くときのボタンと、閉じるときのボタンに対して動作を指定します。半透明の黒であるマスク部分も、クリックしたらモーダルウィンドウを閉じるように設定したいため、「close.click();」と指定しています。

　なお、この指定はその上の行にあるcloseボタンをクリックしたときのイベントのことを指しています。

HTML index.html

```
<button id="open">詳細を見る</button>

<section id="modal">
    <h1>経歴</h1>
    <p>カナダ・バンクーバーにあるWeb制作の学校を卒業。カナダやオーストラリア、イギリスの企業でWebデザイナーとして働きました。</p>
    <button id="close">閉じる</button>
</section>

<div id="mask"></div>
```

chapter1
chapter2
chapter3
chapter4
chapter5
chapter6
chapter7
chapter8

```css
#open,
#close {
  background: #ed8;
  border: 3px solid #eb8;
  border-radius: .5rem;
  padding: 1rem 2rem;
  cursor: pointer;
}
#mask {
  background: rgba(0, 0, 0, .6);
  position: fixed;
  inset: 0;
  z-index: 9998;
  opacity: 0;
  visibility: hidden;
}
#modal {
  background: #fff;
  max-width: 36rem;
  padding: 2rem;
  border-radius: .5rem;
  position: absolute;
  inset: 10rem 0 auto;
  margin: auto;
  z-index: 9999;
  opacity: 0;
  visibility: hidden;
}
```

js/script.js

```js
const open = document.querySelector('#open');
const close = document.querySelector('#close');
const modal = document.querySelector('#modal');
const mask = document.querySelector('#mask');
const showKeyframes = {
  opacity: [0, 1],
  visibility: 'visible',
};
const hideKeyframes = {
  opacity: [1, 0],
  visibility: 'hidden',
};
const options = {
  duration: 800,
  easing: 'ease',
```

```
  fill: 'forwards',
};

// モーダルウィンドウを開く
open.addEventListener('click', () => {
  modal.animate(showKeyframes, options);
  mask.animate(showKeyframes, options);
});

// モーダルウィンドウを閉じる
close.addEventListener('click', () => {
  modal.animate(hideKeyframes, options);
  mask.animate(hideKeyframes, options);
});

// マスクをクリックしてモーダルウィンドウを閉じる
mask.addEventListener('click', () => {
  close.click();
});
```

「mask（＝半透明の黒い部分）をクリックしたら、close（＝閉じるボタン）をクリックした時と同じ動きにしてください」という指示

クリック

経歴
カナダ・バンクーバーにあるWeb制作の学校を卒業。カナダやオーストラリア、イギリスの企業でWebデザイナーとして働きました。

閉じる

ボタンをクリックしたらふわっと画面が変わり、モーダルウィンドウが表示されます。

　ここではWeb Animations APIを利用して動きを付けましたが、このようなシンプルな装飾であればP.104「4-5　ボタンをクリックしてページをダークモードにしよう　CSSのクラスを切り替えよう」で紹介したようなclassList.toggle()メソッドを使ってCSSのクラスをつけたり外したりして実装できます。様々な書き方をおさえておくといいでしょう。

7-12
CHAPTER

スクロールで要素を表示

スクロールに連動させて要素や画面が動くWebサイトを一度は見たことがあるはずです。どこかワクワクするような動きですよね。CHAPTER 6で学んだこの実装方法をより実践的に書いていきましょう。

▨ この部分の完成イメージ

スクロールして要素が表示範囲内に入ると、少しぼやけて透明だった要素が、ふわっと浮かび上がるように表示されます。

少しぼけている → ふわっと浮かび上がる → クリアになった

▨ 完成コード

📄 index.html

```
<section class="hero">
    <h1 class="title">WCB Fashion<br>Collection</h1>
</section>

<section class="concept">
    <div class="wrapper">
        <h2 class="title fadein">Concept</h2>
        <p class="fadein">
            当たり前の日々を、ほんの少しだけ華やかに彩りたい。
            （・・・省略・・・）
        </p>
    </div>
    <img src="images/concept.jpg" alt="">
</section>

<section class="gallery">
    <div class="gallery-image">
        <img src="images/img1.jpg" alt="">
```

```
        </div>
        <div class="gallery-content wrapper">
            <h2 class="title fadein">Lookbook</h2>
            <ul class="gallery-thumbnails">
                <li class="fadein"><img src="images/img1.jpg" alt=""></li>
                <li class="fadein"><img src="images/img2.jpg" alt=""></li>
                （・・・省略・・・）
            </ul>
        </div>
</section>

<section class="shop">
    <div class="shop-content wrapper">
        <h2 class="title fadein">Shop</h2>
        <p class="fadein">いつでも送料無料。便利なオンラインショップをご利用ください。</p>
        <a class="btn fadein" href="#">オンラインショップ</a>

        <h3 class="fadein">六本木店</h3>
        <p class="fadein">
            東京都港区六本木2-4-5<br>
            営業日：金・土・日・祝<br>
            営業時間：11:00 〜 18:00
        </p>
    </div>
</section>
```

📄 js/script.js

```
/*
スクロールで要素を表示
=========================================== */
// 監視対象が範囲内に現れたら実行する動作
const animateFade = (entries, obs) => {
  entries.forEach((entry) => {
    if (entry.isIntersecting) {
      entry.target.animate(
        {
          opacity: [0, 1],
          filter: ['blur(.4rem)', 'blur(0)'],
          translate: ['0 4rem', 0],
        },
        {
          duration: 2000,
          easing: 'ease',
          fill: 'forwards',
        }
      );
      // 一度ふわっと表示されたら監視をやめる
```

```javascript
      obs.unobserve(entry.target);
    }
  });
};

// 監視設定
const fadeObserver = new IntersectionObserver(animateFade);

// .fadeinを監視するよう指示
const fadeElements = document.querySelectorAll('.fadein');
fadeElements.forEach((fadeElement) => {
  fadeObserver.observe(fadeElement);
});
```

[CSS] css/style.css

```css
.fadein{
    opacity: 0;
}
```

COLUMN

—

「for」と「forEach」の違い

　これまで使ってきたfor文と、この章で登場した「forEach()」、少し違いがわかりづらかったかと思います。ここで改めてまとめておきましょう。

◢ 使える用途の違い
　もっとも大きな違いは、for文がどこでも使える繰り返し構文なのに対し、forEach()が繰り返せるのは配列のデータのみという点です。配列に限らず、様々な場面で「この処理を〇〇回繰り返し実行したい」というときにはfor文を使います。一方、「配列の各要素に対してこの処理を順番に処理したい」というときにはforEach()が使えます。

◢ ループ回数の違い
　for文では指定さえすれば何度でも繰り返し処理できます。そのため、たとえデータが存在しない場合であっても処理を実行してしまいエラーとなる可能性もあります。P.171「COLUMN　無限ループに要注意」で紹介した無限ループになってしまうのもこのためです。「forEach()」では配列の持っている要素の数だけ繰り返すので、そういったエラーにはなりにくいです。

◢ コードの記述量の違い
　「forEach()」の場合、for文で書いたような繰り返し条件などの記述をする必要がないので、効率よく記述でき、コードがすっきりまとまって見えます。ただし、簡単な処理の場合は記述量に大きな違いはありません。好みによるところもあるかと思います。

　もし「forEach()」の記述方法に不安を感じる場合は、for文のみで記述しても問題ありません。少しずつ色々な書き方に慣れていけるといいでしょう。

<h1>

7-13
CHAPTER

スクロールで要素を表示
「fadein」クラスのHTML要素を取得
</h1>

「ページをスクロールして、監視対象のHTML要素が画面内に入ると動作する」という動きは、CHAPTER 6で紹介しました。ここでは複数の要素を取得する方法を見ていきましょう。

ふんわり表示させたいHTML要素にクラスを付与する

まずはHTMLファイルの「ふわっ」と表示させたい要素に「fadein」というクラスを加えましょう。見出しや文章、画像など、全部で17箇所に指定しました。

 index.html

```html
<!DOCTYPE html>
<html lang="ja">
<head>
    （・・・省略・・・）
</head>
<body>
    （・・・省略・・・）

    <section class="hero">
        <h1 class="title">WCB Fashion<br>Collection</h1>
    </section>

    <section class="concept">
        <div class="wrapper">
            <h2 class="title fadein">Concept</h2>
            <p class="fadein">
                当たり前の日々を、ほんの少しだけ華やかに彩りたい。
                （・・・省略・・・）
            </p>
        </div>
        <img src="images/concept.jpg" alt="">
    </section>

    <section class="gallery">
        <div class="gallery-image">
            <img src="images/img1.jpg" alt="">
        </div>
        <div class="gallery-content wrapper">
            <h2 class="title fadein">Lookbook</h2>
            <ul class="gallery-thumbnails">
                <li class="fadein"><img src="images/img1.jpg" alt=""></li>
```

```
                <li class="fadein"><img src="images/img2.jpg" alt=""></li>
                <li class="fadein"><img src="images/img3.jpg" alt=""></li>
                <li class="fadein"><img src="images/img4.jpg" alt=""></li>
                <li class="fadein"><img src="images/img5.jpg" alt=""></li>
                <li class="fadein"><img src="images/img6.jpg" alt=""></li>
                <li class="fadein"><img src="images/img7.jpg" alt=""></li>
                <li class="fadein"><img src="images/img8.jpg" alt=""></li>
                <li class="fadein"><img src="images/img9.jpg" alt=""></li>
            </ul>
        </div>
    </section>

    <section class="shop">
        <div class="shop-content wrapper">
            <h2 class="title fadein">Shop</h2>
            <p class="fadein">いつでも送料無料。便利なオンラインショップをご利用ください。</p>
            <a class="btn fadein" href="#">オンラインショップ</a>

            <h3 class="fadein">六本木店</h3>
            <p class="fadein">
                東京都港区六本木2-4-5<br>
                営業日：金・土・日・祝<br>
                営業時間：11:00 〜 18:00
            </p>
        </div>
    </section>
</body>
</html>
```

> 下線の部分、全部で17箇所に
> fadein クラスの指定をした

Intersection Observer の設定をする

　P.242「6-14　スクロールとアニメーションを組み合わせよう Intersection Observer の仕組み」を振り返りながら、「Intersection Observer」の基本設定をしていきます。

実行する動作内容を関数で定義する

　まずは「animateFade」という関数を用意して、動作内容を定義しておきます。動作内容は、ひとまずコンソールに「ふわっ」と出力するとします。

📄 js/script.js

```
// 監視対象が範囲内に現れたら実行する動作
const animateFade = () => {
  console.log('ふわっ');
};
```

監視設定を行う

「Intersection Observer」の機能を使うため、定数「fadeObserver」を作って「new IntersectionObserver()」と記述します。カッコの中には動作内容である関数名「animateFade」を記述します。これで監視対象が画面に入るとanimateFade関数を実行するように指示ができます。

📄 js/script.js

```js
// 監視対象が範囲内に現れたら実行する動作
const animateFade = () => {
  console.log('ふわっ');
};

// 監視設定
const fadeObserver = new IntersectionObserver(animateFade);
```

追加した

fadeinクラスのついたHTML要素を監視するよう指示する

次に「何を監視するか」を指定して監視を開始します。「fadein」クラスのついたHTML要素をすべて取得したいので、定数「fadeElements」を用意して、「querySelectorAll()」で取得します。

📄 js/script.js

```js
// 監視対象が範囲内に現れたら実行する動作
const animateFade = () => {
  console.log('ふわっ');
};

// 監視設定
const fadeObserver = new IntersectionObserver(animateFade);

// .fadeinを監視するよう指示
const fadeElements = document.querySelectorAll('.fadein');
```

追加した

この「fadeElements」を監視対象としたいので、P.242「6-14　スクロールとアニメーションを組み合わせよう Intersection Observerの仕組み」の要領で、

📄 js/script.js

```js
fadeObserver.observe(fadeElements);
```

このように監視を開始したいところですが、「querySelectorAll()」で取得した複数の要素は配列になっています。そのため、「forEach()」で展開し、個別に監視するように指定する必要があります。配列の要素1つひとつを「fadeElement」として受け取り、「fadeObserver.observe(fadeElement);」で監視するように記述しましょう。

📄 js/script.js

```javascript
// 監視対象が範囲内に現れたら実行する動作
const animateFade = () => {
  console.log('ふわっ');
};

// 監視設定
const fadeObserver = new IntersectionObserver(animateFade);

// .fadeinを監視するよう指示
const fadeElements = document.querySelectorAll('.fadein');
fadeElements.forEach((fadeElement) => {
  fadeObserver.observe(fadeElement);
});
```

追加した

ページを読み込んだとき

ふわっ
>

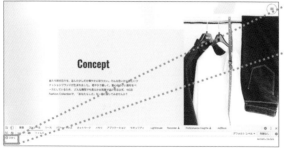

④ ふわっ
>

ページを読み込んだときと、ページをスクロールして「fadein」クラスのついた要素が画面内に入ったときに、コンソールに「ふわっ」というテキストが出力されます（2つ目以降は数字のカウントが増えます）。

　これで指定したクラスのついたHTML要素を認識して、画面内に入ったときに動作させる準備が完了しました。次節から、動きを加えていきましょう。

7-14
CHAPTER

スクロールで要素を表示
ふわっと表示するアニメーションの設定

監視対象となった各HTML要素にアニメーションを加えるため、個別に情報を取得してアニメーションの指定をしましょう。

▨ 複数の監視対象の情報を取得する

　監視対象の情報を取得する指定はP.247「6-15　スクロールとアニメーションを組み合わせよう　交差状態の情報を見てみよう」と同じです。ただ今回は対象となるHTML要素が複数あるため、「forEach()」と組み合わせて書いていきましょう。

　関数「animateFade」の丸カッコの中に「entries」と書き加えます。この「entries」の中に交差状態の情報が配列で渡されるのでした。配列なので、配列名である「entries」にドットでつなげて「entries.forEach();」と書いていきます。

　さらにその丸カッコの中に、監視対象のHTML要素を個別に「entry」という名前で受け取ります。

📄 js/script.js

```js
// 監視対象が範囲内に現れたら実行する動作
const animateFade = (entries) => {
  entries.forEach((entry) => {
    console.log(entry);
  });
};

// 監視設定
const fadeObserver = new IntersectionObserver(animateFade);

// .fadeinを監視するよう指示
const fadeElements = document.querySelectorAll('.fadein');
fadeElements.forEach((fadeElement) => {
  fadeObserver.observe(fadeElement);
});
```

追加した

　すると、コンソールに監視対象である「fadein」クラスのついたHTML要素が出力されます。左側の三角形をクリックすると情報が表示されます。

isIntersecting: false

isIntersectingがfalseになっている

監視対象が画面に入っているかどうかを真偽値で判定する「isIntersecting」は、この後で利用するので確認しておきましょう。「fadein」クラスのついた要素が画面外にあるので、この「isIntersecting」が「false」となっているはずです。

それでは監視対象である要素を取得するtargetプロパティを使って、コンソールに出力させます。

📄 js/script.js

```js
// 監視対象が範囲内に現れたら実行する動作
const animateFade = (entries) => {
  entries.forEach((entry) => {
    console.log(entry.target);
  });
};

// 監視設定
const fadeObserver = new IntersectionObserver(animateFade);

// .fadeinを監視するよう指示
const fadeElements = document.querySelectorAll('.fadein');
fadeElements.forEach((fadeElement) => {
  fadeObserver.observe(fadeElement);
});
```

追加した

```
▶ <li class="fadein">…</li>
▶ <li class="fadein">…</li>
▶ <li class="fadein">…</li>
▶ <li class="fadein">…</li>
  <h2 class="title fadein">Shop</h2>
  <p class="fadein">いつでも送料無料。便利なオンラインショップをご利用ください。</p>
  <a class="btn fadein" href="#">オンラインショップ</a>
  <h3 class="fadein">六本木店</h3>
▶ <p class="fadein">…</p>
```

「fadein」クラスのついたHTML要素が表示されました。

交差しているときだけ実行する

「Intersection Observer」の機能としては、ページを読み込んだ時点で用意した関数が実行されます。今回は監視対象が画面に入ったときに実行されればいいので、先ほどのisIntersectingプロパティを利用しましょう。if文を使って「もし画面内に監視対象が入っているなら」という意味で、「entry.isIntersecting」を条件とします。これで監視対象の「isIntersecting」が「true」のときに、その中に記述した内容が実行されます。

📄 js/script.js

```js
// 監視対象が範囲内に現れたら実行する動作
const animateFade = (entries) => {
  entries.forEach((entry) => {
    if (entry.isIntersecting) {
      console.log(entry.target);
    }
  });
};

// 監視設定
const fadeObserver = new IntersectionObserver(animateFade);

// .fadeinを監視するよう指示
const fadeElements = document.querySelectorAll('.fadein');
fadeElements.forEach((fadeElement) => {
  fadeObserver.observe(fadeElement);
});
```

追加した

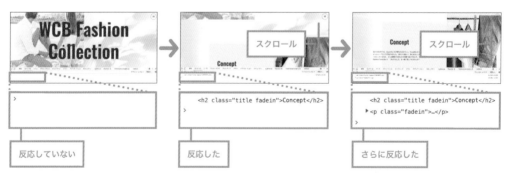

スクロールをして、画面内に監視対象のHTML要素が入ったときにのみ反応するようになりました。

■ アニメーションの指定をする

　あとはアニメーションの指定をすれば完成です。最初にCSSで「fadein」クラスを透明にしておきます。

css/style.css

```
@charset 'UTF-8';

(・・・省略・・・)
.btn {
    color: var(--white);
    background: var(--brown);
    border: 1px solid var(--brown);
    text-decoration: none;
    padding: 1rem;
    display: inline-block;
    margin: 2rem 0;
    transition: .4s;
}
.fadein{
    opacity: 0;                                              追加した
}

/*
LAYOUT
================================================ */
.wrapper {
    max-width: 38rem;
    margin: auto;
    padding: 0 1rem;
}
```

　続いて、先ほどのコンソールへの指定はコメントアウトし、取得した要素、「entry.target」にanimate()メソッドでアニメーションを指定します。

　動かす内容には「透明から不透明にする」「ぼかしをなくす」「下から上に移動する」という指定をします。また、動きの詳細で「2秒かけて動かす」ことや、「開始時と終了時は緩やかに変化させる」こと、最後の「キーフレームの状態を保持する」ことを指定します。

📄 js/script.js

```js
// 監視対象が範囲内に現れたら実行する動作
const animateFade = (entries) => {
  entries.forEach((entry) => {
    if (entry.isIntersecting) {
      //console.log(entry.target);
      entry.target.animate(
        {
          opacity: [0, 1],
          filter: ['blur(.4rem)', 'blur(0)'],
          translate: ['0 4rem', 0],
        },
        {
          duration: 2000,
          easing: 'ease',
          fill: 'forwards',
        }
      );
    }
  });
};

// 監視設定
const fadeObserver = new IntersectionObserver(animateFade);

// .fadeinを監視するよう指示
const fadeElements = document.querySelectorAll('.fadein');
fadeElements.forEach((fadeElement) => {
  fadeObserver.observe(fadeElement);
});
```

コメントアウト

追加した

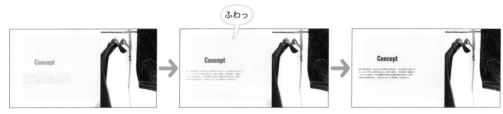

ふわっ

これでfadeinクラスのついたHTML要素が画面に入ったときに、ふわっと浮かぶような動きが実装できました！

　アニメーションの実装自体はこれで完成です。ただ、スクロールするたびに何度も繰り返しアニメーションがあるのは、少しわずらわしく感じるかもしれませんね。次節では一度アニメーションが再生されたら監視をやめるように設定をしましょう。

7-15
CHAPTER

スクロールで要素を表示
何度も実行されないように制御する

交差するたびに関数が実行されるとブラウザーに負荷がかかります。また何度も動きがあるとユーザーが不快に感じることもあります。そこで一度要素が表示されたあとは監視を止めてみましょう。

▥ unobserve() で監視を停止する

監視対象が範囲内に現れたら実行する関数「animateFade」は、第二引数に実行している「fadeObserver」を渡せます。

[JS] 例

```js
// 監視設定
const fadeObserver = new IntersectionObserver(animateFade);
```
この部分が渡せる

混乱しないように定数名を変えて指定します。

慣例的にobserverを短くした「obs」を使うことが多いので、ここでも「obs」としましょう。そしてunobserve()メソッドを使って、監視を止める指示をします。丸カッコの中には監視を止める要素「entry.target」と記述しましょう。

✓ POINT

unobserve()メソッドからの指示は監視するように指示した右のコードの逆の意味となります。

```js
fadeObserver.observe(fadeElement);
```

[JS] js/script.js

```js
// 監視対象が範囲内に現れたら実行する動作
const animateFade = (entries, obs) => {
  entries.forEach((entry) => {
    if (entry.isIntersecting) {
      entry.target.animate(
        {
          opacity: [0, 1],
          filter: ['blur(.4rem)', 'blur(0)'],
          translate: ['0 4rem', 0],
        },
```
追加した

```
          {
            duration: 2000,
            easing: 'ease',
            fill: 'forwards',
          }
        );
        // 一度ふわっと表示されたら監視をやめる
        obs.unobserve(entry.target);                    ┤────────────── 追加した
      }
    });
  };


  // 監視設定
  const fadeObserver = new IntersectionObserver(animateFade);

  // .fadeinを監視するよう指示
  const fadeElements = document.querySelectorAll('.fadein');
  fadeElements.forEach((fadeElement) => {
    fadeObserver.observe(fadeElement);
  });
```

　ぱっと見はあまり変化がないように見えますが、ページ下部までスクロールしたあとにページ上部に戻ってみてもアニメーションは発動しなくなりました。監視が停止していることがわかります。

　今回のようなシンプルなプログラムであればあまり違いは出ないかと思いますが、例えば実行する関数「animateFade」を複数の「Intersection observer」で利用する場合、どこから呼び出されたのかわからなくなってしまうことがあります。そのため、今回のように関数の第二引数で、どのIntersection observerを呼び出すのかを指定します。

　少し複雑な書き方かもしれませんが、見た目だけでなく、効率の良い書き方や、ブラウザーへの負荷についても考えながらプログラムを書けるようになっていくといいでしょう。

COLUMN

—

疑似要素にアニメーションの指定をする

CSSで装飾するときに、要素に「::before」
や「::after」といった疑似要素を使って装
飾することもあるでしょう。アニメーションの指定には疑似要素を対象とすることも
可能です。スクロールにあわせて動かしてみましょう。

▶ サンプルデータ
chapter7/col-scroll-demo

「Intersection Observer」で監視したい要素には「scroll」というクラス名を割り
振っておきます。CSSではscrollクラスの疑似要素として、テキスト全体を覆うよう
に背景色のついた帯を用意します。その疑似要素の位置をJavaScriptで「translate」
の値を変えることで、左端から右端へ消えるように移動できます。

このとき、動きの詳細のオプションに「pseudoElement」を指定できます。「Pseudo
Element」とは、日本語にすると「疑似要素」のことです。ここに監視対象となった
要素の疑似要素を指定できるわけです。今回は監視対象がscrollクラス、その疑似要
素である「scroll::before」を動かしたいので、「pseudoElement」の値に「::before」
とすればOKです。

 index.html

```
<!DOCTYPE html>
<html lang="ja">
<head>
    <meta charset="UTF-8">
     <meta name="viewport" content="width=device-width, initial-
scale=1.0">
    <title>疑似要素の背景色が右に動いて見出しを表示</title>
     <link rel="stylesheet" href="https://unpkg.com/ress/dist/ress.min.
css">
    <link rel="stylesheet" href="css/style.css">
    <script src="js/script.js" defer></script>
</head>
<body>
    <div class="container">
        <h1 class="scroll">JavaScriptはプログラミング言語のひとつ</h1>
        （・・・省略・・・）
    </div>
</body>
```

```html
</html>
```

```css
.scroll {
    position: relative;
    overflow: hidden;
    display: inline-block;
}
.scroll::before {
    background: #ed8;
    position: absolute;
    content: '';
    display: block;
    inset: 0;
}

.container {
    max-width: 800px;
    margin: auto;
    padding: 2rem;
}
h1, h2 {
    margin: 40rem 0 1rem;
}
```

scrollクラスの疑似要素の指定

JS js/script.js

```javascript
// 監視対象が範囲内に現れたら実行する動作
const animateScroll = (entries, obs) => {
  entries.forEach((entry) => {
    if (entry.isIntersecting) {
      entry.target.animate(
        {
          translate: [0, '100%',],
        },
        {
          duration: 2000,
          pseudoElement: '::before',
          easing: 'ease',
          fill: 'forwards',
        }
      );
```

疑似要素の指定

```
      // 一度実行されたら監視をやめる
      obs.unobserve(entry.target);
    }
  });
};

// 監視設定
const scrollObserver = new IntersectionObserver(animateScroll);

// 監視の指示
const scrollElements = document.querySelectorAll('.scroll');
scrollElements.forEach((scrollElement) => {
  scrollObserver.observe(scrollElement);
});
```

JavaScriptはWebページに機能を追加できるプログラミング言語です。ブラウザーで動く言語として1995年に誕生しました。今やJavaScriptを利用していないWebサイトを見つけるほうが難しいほど普及しています。そう、今本書を手にとっているみなさんも、毎日のようにJavaScriptに触れているのです。
Webサイトはコンテンツを表示する文書構造のためのHTML、見た目を変化させるCSS、そしてWebサイトの動作部分を作るJavaScriptで成り立っています。車で例えるなら、車体の骨組みを作るのがHTML、色などの見た目部分がCSS、そしてアクセルやブレーキ、ライトなどの機能的なところがJavaScriptです。

JavaScript

JavaScriptはWebページに機能を追加できるプログラミング言語です。ブラウザーで動く言語として1995年に誕生しました。今やJavaScriptを利用していないWebサイトを見つけるほうが難しいほど普及しています。そう、今本書を手にとっているみなさんも、毎日のようにJavaScriptに触れているのです。
Webサイトはコンテンツを表示する文書構造のためのHTML、見た目を変化させるCSS、そしてWebサイトの動作部分を作るJavaScriptで成り立っています。車で例えるなら、車体の骨組みを作るのがHTML、色などの見た目部分がCSS、そしてアクセルやブレーキ、ライトなどの機能的なところがJavaScriptです。

JavaScriptはプログラミング言語のひとつ

JavaScriptはWebページに機能を追加できるプログラミング言語です。ブラウザーで動く言語として1995年に誕生しました。今やJavaScriptを利用していないWebサイトを見つけるほうが難しいほど普及しています。そう、今本書を手にとっているみなさんも、毎日のようにJavaScriptに触れているのです。
Webサイトはコンテンツを表示する文書構造のためのHTML、見た目を変化させるCSS、そしてWebサイトの動作部分を作るJavaScriptで成り立っています。車で例えるなら、車体の骨組みを作るのがHTML、色などの見た目部分がCSS、そしてアクセルやブレーキ、ライトなどの機能的なところがJavaScriptです。

スクロールして監視対象の「scroll」クラスの要素が表示されると、背景色で塗りつぶされていた見出しがスルッと表示されるようになります。

chapter1
chapter2
chapter3
chapter4
chapter5
chapter6
chapter7
chapter8

CHAPTER 8

—

エラーと解決方法

ミスをすることなくプログラムを書き続けられる人は
いません。もしうまく動かないときは、落ち着いて原
因をつきとめ解決していきましょう。この章ではエラー
が出た際の解決方法とその手助けになることを簡単に
まとめています。

Introduction | Getting Started | Basic | Event | Data | Animation | Website | Troubleshooting

8-1

CHAPTER

エラーの確認方法

プログラミングにはエラーがつきものです。想定通り動作しないときは、今何が起こっていてうまく動いていないのかを1つひとつ確認していきましょう。

■ エラーメッセージは怖くない！

真っ赤な字でエラーを指摘するその様は、真っ赤な顔で怒られているようで怖く感じるかもしれません。しかし、エラーメッセージはうまく動いていないことを知らせてくれるありがたい言葉です。エラーは出るのが当たり前だと思って、仲良く付き合っていきましょう。

むしろエラーメッセージが出ていないのにうまく動いていない状況の方が解決に苦戦することとなるでしょう。なんのヒントもないまま、原因を探らないといけません。この場合は関連するであろう定数や変数、関数などをログとして出力し、1つずつ確認していく必要があります。想定している値がきちんと取得できているのか、指示した内容が認識されているのかなどを細かく検証していくことになります。

■ コンソールをチェックする

JavaScriptでプログラミングをするときは、P.042「2-5　コンソールを使ってみよう」で紹介したデベロッパーツールを使ってコンソールで確認するのが必須です。エラーがある場合は画面右上に赤い×印がつき、「Console」（日本語では「コンソール」）タブから詳細を表示できます。また、右側にはエラーが出ているファイル名と行数も表示されます。

基本的にエラーメッセージは英語で表示されるので、英語が苦手な方は翻訳して確認するといいでしょう。エラーメッセージをそのままコピーして検索にかけてもいいですね。大切なのは何のエラーが発生しているかをきちんと把握することです。

サンプルデータと見比べよう

本書では見本となるサンプルデータを用意しています。よく「見本の通りにコードを書いたのにエラーが出てしまう」という声を聞きますが、多くの場合は見本の通りに書かれていないのでエラーが出ています。とは言え、ミスは自分では気づきづらいものです。そんなときに便利なのが「difff《デュフフ》(https://difff.jp/)」というサービスです。2つのテキストエリアが用意されていて、入力されたテキストの違い（差分）を表示してくれます。片方にご自身で書いたコードを、もう片方に見本となるサンプルコードをコピー＆ペーストして［比較する］ボタンをクリックしましょう。違いのある箇所をハイライトして教えてくれます。

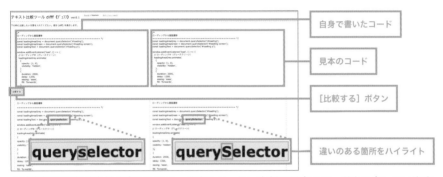

この例では左側に自分の書いたエラーの出たコード、右側に見本のコードを入力しています。ハイライトを見ると「S」の字が大文字になっていないことや、「，（カンマ）」を書き忘れていることがわかります。

AIの力を借りてみよう

最近、筆者も大注目していて、時折力を貸してもらっているのが「ChatGPT (https://chat.openai.com/)」という対話式のAIです。まるでチャットのように利用できるので、友達に聞くような感覚で入力欄に質問を投げればすぐに答えてくれます。日本語も使えます。

試しに以下の関数を出力する際のエラーについて質問してみました。

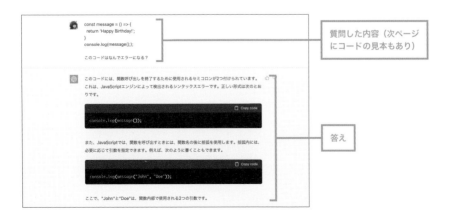

```js
const message = () => {
  return 'Happy Birthday!';
}
console.log(message(););
```

セミコロンが2つ付けられている

　すると「関数呼び出しを終了するために使用されるセミコロンが2つ付けられています。」と指摘してくれました。正しい書き方まで教えてくれています。とてもありがたいですね！ 登録は必要なのですが今の所無料で利用できます。なお、AIはまだまだ発展途上の段階です。すべて正しい答えがかえってくるとは限らないため、判断材料の1つとしてうまく付き合っていくことが大切です。

入力ミスを減らすコツ

　プログラミングではカッコやクォーテーションで囲むことが多々あります。慣れないうちは書き間違えも多く、特に閉じカッコや2つ目のクォーテーション、終了時のセミコロンを忘れがちです。たった1つの記号がなかっただけで、プログラム全体が動かないということもあります。以下は私がJavaScript初心者だったころに教えてもらった入力方法です。プログラムを左から順に書いていくのではなく、閉じカッコやセミコロンといった忘れがちなコードを最初に書いておく方法になります。これならばミスを減らすことができます。例えば私が「console.log('ミスを減らそう');」と入力するときの書く順番を紹介します。

```js
console.log()
```

　まずは必要な指示と閉じカッコの部分まで書いておきます。

```js
console.log();
```

追加した

　先に行末のセミコロンを書いてしまいましょう。

```js
console.log('');
```

追加した

　続いて丸カッコの中にシングルクォーテーションを2つ書きます。

```js
console.log('ミスを減らそう');
```

追加した

　最後にシングルクォーテーションの間にテキストを入力します。この書く癖をつけてから劇的に入力ミスを減らせたので、ぜひ試してみてください。

8-2
CHAPTER

よくあるエラー一覧

経験を積むにつれて徐々にエラーを引き起こす回数は減ってくるかと思いますが、なぜかうまく表示されない…ということもあるでしょう。そんなときは、このチェックリストを参考に1つひとつ原因を探ってみましょう。

▨ コードの記述に関するミス

最初のうちは簡単なスペルミスや入力漏れがエラーの原因になりやすいです。

☐ 記述したコードが反映されない

- ☐ ファイルは保存されていますか?
- ☐ HTMLでJavaScriptファイルを読み込む指定はしていますか?
- ☐ JavaScriptファイルへのファイルパスは合っていますか?
- ☐ コードにスペルミスはありませんか?
- ☐ JavaScriptファイルに全角スペースが混ざっていませんか?
  - ＊テキストエディターの画面で ⌘ + F (Windowsなら Ctrl + F) キーで文字検索ができます。ここに全角スペースを入力すると発見できます。
- ☐ デベロッパーツールでJavaScriptのエラーがないかチェックしましょう (P.334参照)。

☐ デベロッパーツールでエラーは出ていないのに反映されない

- ☐ JavaScriptファイルで指定しているクラス名やタグ名と、HTMLのクラス名やタグ名は一致していますか?

▨ デベロッパーツールのエラーメッセージ

JavaScriptのエラーはChromeのデベロッパーツールで確認することができます。ページを右クリックして [検証] を選択し、デベロッパーツールを起動しましょう。

net::ERR_FILE_NOT_FOUND

原因	読み込んでいるファイルが存在しない。
解決方法	● 指定しているファイルパスを修正する。 ● 保存しているファイル名と読み込みの指定をしているファイル名が一致するか確認する。 ● ファイル名にスペルミスがないか確認する。

Uncaught ReferenceError: 〇〇 is not defined

原因	指摘されている箇所の記述が間違っている。
解決方法	● スペルミスがないか確認する。　　● 全角英数字で書いている場合は半角英数字に修正する。 ● 余計なスペースが混ざっていないか確認する。

Uncaught SyntaxError: Unexpected token '〇〇'

原因	●「; (セミコロン)」やカッコなど、必要な記号が記述されていない。　　● 記号が全角で記述されている。
解決方法	● 不足している記号を追加する。　　● 半角で記述する。

INDEX

索引

次は何をしよう？

—

　本書をここまで読んでくださりありがとうございます。JavaScriptに入門は無事できましたでしょうか。本書で紹介できたのはJavaScriptの基本機能のうちのほんの少しだけです。

　本書ではWebサイトに動きを加える方法をメインにJavaScriptの基礎を紹介しました。ただJavaScriptは他にも外部のWebサイトで提供されているデータを読み込んで利用してみたり、JavaScriptベースのWebサイトを作ってみたり、スマートフォンのアプリを作ってみたりと、とにかく幅広いことに挑戦することができます。できることが多すぎて、次は何をすればいいかと立ち止まってしまう方も多いのではないでしょうか？

　私のオススメは、とにかくWebサイトを作ることです。本書で学んだアニメーションや簡単な機能を、Webサイトに加えながら、復習してみてはいかがでしょうか？

▶ 次のオススメの書籍

　コードを1から作成するのは時間がかかってしまいますよね。拙著『ほんの一手間で劇的に変わるHTML & CSSとWebデザイン実践講座』では完成したHTML/CSSファイルを配布していますので、こちらをベースにカスタマイズしてみても面白そうです。

　一歩進んだJavaScriptの使い方や、世界中で人気のJavaScriptフレームワーク「React」を学んでみるのもいいでしょう。より複雑な機能の付いたWebサイトを作れるようになります。私の友人、じゃけぇ氏はそんなReactを丁寧に解説した書籍『モダンJavaScriptの基本から始める　React実践の教科書』を出版しているので、気になる方はぜひ読んでみてください。

　また、昨今のWebサイト制作ではGitと呼ばれるファイルの変更履歴であるバージョン管理を行っています。バージョン管理は後から間違いに気づいたときにすぐにさかのぼって元に戻したり、削除してしまったファイルを復元したりと、プログラム開発を補助してくれる強力なツールです。こちらも友人のたにぐち まこと氏が『はじめてでもできる　GitとGitHubの教科書』というわかりやすい書籍を出版しています。Gitを知りたい人の助けになります。

　本書を通じてJavaScriptの楽しさが伝わってくれたら光栄です。次の一歩も、わくわくしながら踏み出してくださいね！

CREDIT

___

P.018-019

『株式会社 ACES の Web サイト』株式会社 ACES

会社名：necco inc.

URL：https://necco.inc

P.020-021

『ShiobaLove｜源泉遺産 塩原温泉郷公式サイト』塩原温泉旅館

協同組合・塩原温泉観光協会

制作会社：Re:design

ProjectManegement：渡辺 祐樹

Direction：弓座 真希

Design：金 由佳 / 須藤 麻有

Develop：齋藤 高充 / 磯 大將

P.203

『Layered Omi の Web サイト』Layered Omi

彦根商工会議所

プロデュース：株式会社 SECAI

制作会社：株式会社イキモノ

Direction：古屋 悠

Design：佐藤 タカアキ（株式会社 Gokagn）

Develop：古屋 悠

● 著者プロフィール

Mana（マナ）

日本で2年間グラフィックデザイナーとして働いた後、カナダ・バンクーバーにあるWeb制作の学校を卒業。カナダやオーストラリア、イギリスの企業でWebデザイナーとして働いた。現在はWebサイト制作のインストラクターとして教育に携わっている。ブログ「Webクリエイターボックス」は2010年日本のアルファブロガーアワードを受賞。著書『1冊ですべて身につくHTML & CSSとWebデザイン入門講座』『ほんの一手間で劇的に変わるHTML & CSSとWebデザイン実践講座』（いずれもSBクリエイティブ）は2019年度および2021年度のCPU大賞 書籍部門の大賞を受賞。

Webサイト	Mana's Portfolio Website … https://ja.webcreatormana.com/
	Webクリエイターボックス … https://www.webcreatorbox.com/
SNS	Facebook（Webクリエイターボックス）… https://www.facebook.com/webcreatorbox.fb
	Twitter（Webクリエイターボックス）… https://twitter.com/webcreatorbox
	Twitter（個人用）… https://twitter.com/chibimana

● 素材

Unsplash … https://unsplash.com/

● 本書サポートページ

本書をお読みいただいたご感想を以下URLからお寄せください。
本書に関するサポート情報やお問い合わせ受付フォームも掲載しておりますので、あわせてご利用ください。

URL https://isbn2.sbcr.jp/15758/

1冊ですべて身につく JavaScript 入門講座

2023年3月7日 初版第1刷発行
2024年8月28日 初版第7刷発行

著者 ………………………… Mana

発行者 ……………………… 出井 貴完
発行所 ……………………… SBクリエイティブ株式会社
〒105-0001 東京都港区虎ノ門2-2-1
https://www.sbcr.jp

印刷 ………………………… 株式会社シナノ
カバーデザイン …………… 西垂水 敦（krran）
カバーイラスト …………… 岡村 亮太
本文デザイン ……………… ねこひいき
本文イラスト ……………… 田渕 正敏
組版 ………………………… 柿乃制作所
編集 ………………………… 鈴木 勇太

落丁本、乱丁本は小社営業部にてお取り替えいたします。
定価はカバーに記載されております。

Printed In Japan ISBN978-4-8156-1575-8